JN022854

プラント関連略語集 2023

本小冊子は、配管設計やプラント関連用語によく見られるアルファベット略語を中心に、日本語訳と元の言語のスペルについて標記しています。

掲載の語句は、特定の団体、規格等に拠らず、プラント業界の雑誌に掲載されたものや、業界の方々のご意見により集められたものです。

昨年発刊致しました、「プラント関連略語集 2022」に約 140 語の新しい略語が追加されています。

語句により簡単な解説を入れていますが、詳細については日本語訳などを参考に、各種文献などご参照いただきますようお願いいたします。

ご利用上の注意

★ 略語によっては、規格または団体などにより正式に決められたものでない、通称・業界用語である場合があります。

★ 略語のうち、【単位】【化合物】【配管材料】【JIS 鉄鋼】【図面記号】【図面形式】【契約】【会社名】に関するものには、上記カテゴリーをつけています。

★ また、特殊な分野で使用される語として【航空・宇宙】と記されているものがあります。

Contents

A ・・・・・・・・ 2
B ・・・・・・・・ 5
C ・・・・・・・・ 7
D ・・・・・・・・ 12
E ・・・・・・・・ 14
F ・・・・・・・・ 17
G ・・・・・・・・ 19
H ・・・・・・・・ 21
I ・・・・・・・・ 23
J ・・・・・・・・ 26
K ・・・・・・・・ 30
L ・・・・・・・・ 31
M ・・・・・・・・ 33
N ・・・・・・・・ 36
O ・・・・・・・・ 40
P ・・・・・・・・ 41
Q ・・・・・・・・ 46
R ・・・・・・・・ 46
S ・・・・・・・・ 47
T ・・・・・・・・ 54
U ・・・・・・・・ 56
VW ・・・・・・・・ 57
XYZ ・・・・・・・・ 58
数字・記号 ・・・・・・・・ 58

A

A 【単位】配管等の口径の mm 表記。呼び径
　　A=American、B=British が語源という説がある　［関連］B

-A 【配管材料】アーク溶接　Arc Welding　パイプ

Å 【単位】オングストローム　angstrom　100 万分の 1cm
　　0.1 ナノメートル

A*STAR シンガポール科学技術庁 Agency for Science,.
　　Technology and Research

AB32 カリフォルニア州の温室効果ガス削減を目的とした法案
　　Assembly Bill 32

ABMA 米国ボイラー製造者協会 American Bolier
　　Manufacturers Association

ABMI 米国ボイラー関連工業会 American Boiler & Affiliated
　　Industries

ABN ABN ナンバー　Australian Business Number
　　オーストラリアで仕事をする人や企業に取得が義務付けられ
　　ている国税登録

ABS 【化合物】アクリロニトリルブタジエンスチレン共重合体
　　Acrylonitrile Butadiene Stylene Resin

ABW アクティビティ・ベースド・ワーキング　Activity
　　Based Working

ABWR 改良型沸騰軽水冷却水炉、改良型沸騰水型原子炉
　　Advanced BWR　［関連］PWR, APWR, BWR

AC 出費 Actual Cost to date

AC 活性炭 activated carbon

AC 交流 Alternating Current　［関連］DC

-A-C 【配管材料】冷間アーク溶接　Arc Welding & Cold Finish

ACA アクティブチャージアキュムレータ
　　Active Charge Accumulator

ACC 改良型コンバインドサイクル
　　Advanced Combined Cycle
　　1,300℃級コンバインドサイクル発電
　　［関連］CC, MACC, GTCC

ACC 米国化学協議会　American Chemistry Council

ACER 欧州連合エネルギー規制委員会　Agency for the
　　Cooperation of Energy Reguration

ACES 東洋エンジニアリング開発の尿素プロセス　Advanced
　　Process for Cost and Energy Saving

ACFM 【単位】風量 Actual cubic feet per minute [関連]CFM、
　　SCFM

ACI 米国コンクリート協会　American Concrete Institute

ACM 大気腐食モニタ Atmospheric Corrosion Monitor

ACS アメリカ化学会 American Chemical Society

ACS 予測制御システム　Advanced Control System

ACWP 出費実績 Actual Cost Work Performed

a.d./A.D. 西暦紀元
　　Anno Domini（ラテン語）= in the year of our Lord
　　［関連］B.C.

AD 【規格】ドイツ圧力容器協会 Arbeitsgemeinschaft
　　Druckbehälter

AD エアロゾルデポジション（法）
　　Aerosol Deposition（method）

AD アンチ・ダンピング　Anti-Dumping
　　不当廉売防止のため WTO で認められた貿易救済措置の一つ

ADCP 音響式流速分布計測計　Acoustic Doppler Current
　　Profiler

ADGAS 【会社名】アブダビガス液化会社
　　Abu Dhabi Gas Liquefaction Limited

ADNOC 【会社名】アブダビ国営石油会社
　　Abu Dhabi National Oil Company

ADOC 【会社名】アブダビ石油㈱
　　Abu Dhabi Oil Company

ADS アクアドライブシステム Aqua Drive System

ADS 自動減圧系　Automatic Depressurization System

ADWEA アブダビ水道電力庁
　　Abu Dhabi Water and Electricity Authority
　　1998 年 ADWED が廃止され、新設

ADWED アブダビ水道電力局
　　Abu Dhabi Water and Electricity Department
　　1998 年廃止され、ADWEA を新設

AE アコースティックエミッション　Accoustic Emission

AEC 【会社名】旭化成エンジニアリング㈱
　　Asahi Kasei Engineering Corporation

AEC 建築、エンジニアリング、建設
　　Architecture, Engineering ,Construction

AEO 米国エネルギー展望 Annual Energy Outlook

AEPW 廃棄プラスチックを無くす国際アライアンス Alliance
　　to End Plastic Waste

AEM アシスタント・エンジニアリング・マネージャー
　　Assistant Engeneering Manager

AES 【化合物】アルカリアースシリケート Alkaline Earth
　　Silicate

AESJ 日本原子力学会　Atomic Energy Society of Japan

AF アンスラサイトろ過処理 Anthracite Filter

AFC 空冷式熱交換器 Air Fin Cooler（Air-Cooled Heat Exchanger）

AFC 自動周波数制御　Automatic Frequency Control

AFC アルカリ電解質形燃料電池　Alkaline Fuel Cell

AFCEN 原子力発電所の設計・建設基準に関するフランス協会
　　Association Francaise pour les Regles de Conception et de
　　Construction des Chaudieres Electro Nucleaires

AFM 原子間力顕微鏡 Atomic force microscopy

AFNOR フランス規格協会 L'association française de normalisation

AFP アドバンストフローパターン Advanced flow pattern

AFTA ASEAN 自由貿易地域　ASEAN Free Trade Agreement

AG 【図面記号】地上　Above Ground　［関連］UG

AGC 【会社名】AGC ㈱　旧社名旭硝子

AGO 【化合物】常圧軽油　Atmospheric Gas Oil

AGOC 【会社名】アラビア石油カフジ利権失効後のサウジ側操
　　業会社　Aramco Gulf Operations Company

AGR 改良型ガス冷却炉　Advanced Gas-Cooled Reactor

AGR 酸性ガス除去　Acid Gas Removal

AGTAW 自動ティグ溶接　Automatic Gas Tungsten Arc Welding

AHAT 高湿分空気ガスタービン Advanced Humid Air Turbine

AHEAD 次世代水素エネルギーチェーン技術研究組合
　　Advanced Hydrogen Energy chain Association for
　　technology Development

AHP 階層分析法 Analytic Hierarchy Process

AHP 吸着式冷凍機 Adsorption Heat Pump

AHP 吸収式冷凍機 Absorption Heat Pump

AHTS 牽引船 Anchor Handling Tug Supply Vessels

AI ASME 公認検査官　Authorized Inspector

AI 人工知能　Artificial Intelligence

AI 計装用空気　Instrument Air　［関連］IA

AICEP ポルトガル投資貿易振興庁 Agência para o Investimento
　　e Comércio Externo de Portugal

AIChE 米国化学工学会 American Institute of Chemical Engineers

AICM 国際化学物質管理戦略
　　Association of International Chemical Manufacturers

A-IGCC 改良型石炭ガス化複合発電
　　Advanced Integrated coal Gasification Combined Cycle
　　［関連］IGCC, IGFC, A-IGCC

AIJ 日本建築学会　Architectural Institute of Japan

AIM アセット運用のための情報モデル Asset Information
　　Model

AIO アナログ入出力　Analog I/O　［関連］IO, DIO

プラント関連略語集2023

Engineering acronym

日本工業出版

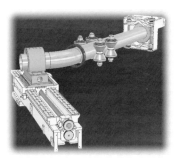

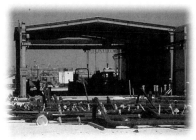

誘導加熱曲げ加工の
パイオニア：DHF

DHFは1962年に世界を先駆けて誘導加熱曲げを開発。

以後、電力、石油、石油化学プラントなどの様々な分野で誘導加熱曲げ管が採用されてきました。

自社設計マシンを有し、尽きること無い探求心から独自技術開発を続け、誘導加熱曲げ加工の先駆者として、絶え間ない努力を続けています。

自社設計の優位点を活かし、可搬型曲げ機を開発。

海外プラント建設における現地曲げ加工で、数々のプラント建設に貢献してきました。

技術力と豊富な経験値を持つ会社です。

DHF 第一高周波工業株式会社
Dai-Ichi High Frequency CO.,LTD.

〒103-0002　東京都中央区日本橋馬喰町1-6-2　TEL.03-5649-3725　FAX.03-5649-3726

http://www.dhf.co.jp

AiP　概念設計承認 Approval in Principle
AISI　【規格】アメリカ鉄鋼協会 American Iron and Steel Institute
AIST　産業技術総合研究所 略称「産総研」
　　National Institute of Advanced Industrial Science & Technology
AIV　音響励起振動 Acoustically Induced Vibration
AJEC　【会社名】味の素エンジニアリング㈱ AJINOMOTO ENGINEERING CORPORATION
A・K・K　【会社名】㈱エイ・ケー・ケー　旧社名である青森フジクラ金矢 (AFK) に由来
AKSO　【会社名】ノルウェー Aker Solutions 社
ALARP　適正で実際的な（対策）
　　As Low As Reasonably Practicable
ALB　航空レーザ測深機 Airborne LiDAR Bathymetry
ALC　セメント成形板　Autoclaved Light-weight Concrete
ALD　原子層蒸着　Atomic Layer Deposition
ALE　原子層エッチング Atomic layer etching
ALNG　アトランティック天然ガス
　　Atlantic Liquefied Natural Gas
ALPS　多核種除去設備　Advanced Liquid Processing System
AM　緊急対応 accident management
AM　積層造形法 Additive Manufacturing
AM　LCN モジュールの一つ。主に PM100 では実現できない制御・演算等を行う　Application Module
AMF　3D データフォーマット Additive Manufacturing File Format
AMIC　（公財）三重県産業支援センター高度部材イノベーションセンター　Advanced Materials Innovation Center
AML　高度なモデリング機能　Advanced Model Library

AMM　廃止炭鉱メタン　Abandoned Mine Methane ［関連］EGR,ECBM,ECMM,EOR,CMM,VAM,CBM
AMS　加速器質量分析装置　Accelerator Mass Spectrometry
AMS　次世代移動 システム Advanced Mobility Systems
AMST　膜分離技術振興協会 Association of Membrane Separation Technology
AN　アンカ Anchor
AN　【化合物】アクリロニトリル　acrylonitrile
AN　焼鈍 nneal
ANGAS　次世代天然ガス高圧貯蔵技術開発事業
　　Advanced Natural GAs Storage
ANRE　資源エネルギー庁
　　Agency of Natural Resources and Energy
ANS　米国原子力学会　American Nuclear Society
ANSI　米国規格協会　American National Standards Institute
ANWR　北極海に面する北極野生生物国家保護区 Arctic National Wildlife Refuge
AOC　【会社名】アラビア石油　Arabian Oil Company, Ltd.
AOC　【会社名】アラムコ・オーバーシー
　　Aramco Overseas Company B.V.　Saudi Aramco の子会社
AoI　興味関心領域 Area of Interest
AOM　周波数変調器 Acoust Optical Modulators
AOTS　海外技術者研修協会
　　The Association for Overseas Technical Scholarship
AP　プラント空気　Plant Air ［関連］PA
AP、A.P【図面記号】工事基準面（荒川水系）
　　Arakawa peil　＝ T.P（東京湾平均海面）-1.134m
　　［関連 AP, TP, KP, GL
AP　アルカリパルプ Alkaline Pulp
APC　自動プラント制御システム Automatic Plant Control

㈱エイ・ケー・ケーは
自己制御ヒータの国内唯一の製造事業者です

（2021年10月 青森フジクラ金矢より社名変更いたしました）

AKK 株式会社エイ・ケー・ケー

〒033-0073 青森県上北郡六戸町金矢二丁目2番地
TEL：0176-51-1101㈹　FAX：0176-51-1103
http://www.akk2021.co.jp/

system

APC 先進的（高度）プロセス制御 Advanced Process Control

APC 活性経路型（SCC）Active Pass Corrosion

APCC 活性経路型腐食割れ Active Path Corrosion Cracking

APCF アドバンスド PCF Advanced Piping Component File [関連]PCF

APCI 【会社名】エアー・プロダクツ・アンド・ケミカルズ Air Products and Chemicals, Inc

APCIC アジア太平洋化学工業協力会議 Asia Pacific Chemical Industry Coalition

APEC アジア太平洋経済協力 Asia-Pacific Economic Cooperation Conference エイペック

APES スーパーコーディンス®の測定データの解析ソフトウエア Anticorrosion Pipeline soundness Evaluation System [関連]NSPE

APF 通年エネルギー消費効率 Annual Performance Factor 1年間を通してある一定条件のもとにエアコンを運転したときの消費電力 1kW 当りの冷房・暖房能力を表わす [関連]COP, IPF

APFBC 高度加圧流動床燃焼技術／複合発電 Advanced Pressurised Fluid Bed Combustion [関連]PFBC

API 米国石油学会 American Petroleum Institute

API プラットフォーム向けソフトウエア開発命令・言語 Application Program Interface

APIC アジア石油化学工業会議 Asia Petrochemical Industry Conference

API 度 ,API 比重 【単位】API が制定した比重（ボーメ度）API gravity 26 未満を超重質原油、26 〜を重質、30 〜を中質、34 〜を軽質、39 以上を超軽質原油と呼ぶ。API2°が比重約 0.01 に相当

APL 焼鈍・酸洗ライン Anealing and Pickling Line

APM アシスタント・プロジェクト・マネージャー Assistant Project Manager

APME ヨーロッパプラスチック生産者協会 Association of Plastics Manufacturers in Europe

APP アジア太平洋パートナーシップ Asia-Pacific Partnership for Clean Development and Climate

APP'D BY【図面記号】承認 Approved by

APPE 欧州石油化学生産者協会 Association of Petrochemical Producers in Europe

APPF 再エネ拡大のための火力発電所の柔軟性活用推進 Advanced Power Plant Flexibility campaign

APPIE 日本粉体工業技術協会規格 The Association of Powder Process Industry and Engineering, Japan

approx ほぼ、大体 Approximately

APRD【図面記号】承認 Approved

APS 大気圧プラズマ溶射法 Atmospheric Plasma Spray

APWR 改良型加圧水型軽水炉 Advanced PWR [関連]PWR, BWR, ABWR

AR 拡張現実 Augmented Reality

ARAMCO【会社名】サウジアラビアン・オイル・カンパニー （サウジアラムコ） Arabian American Oil Company アラムコ Saudi Aramco（Saudi Arabian Oil Company）の サウジ政府による Take-Over 以前の略称。現在でも一般的に使用されている

ARC ARC 試験 Accelerating Rate Calorimeter

ARC 被覆アーク溶接 shielded metal arc welding [関連 ARC, FCAW, MAG, MIG, TIG, GMAW, GTAW, SAW,SMAW

ARC【化合物】常圧残油 Atmospheric Reduced Crude

ARC【会社名】アデン石油精製会社 Aden Refinery Co.

Arc Weld アーク溶接 Arc welding

ARI 米国冷凍空調工業会 Air conditioning & Refrigeration Institute

ARL【会社名】アトック石油精製会社 Attock Refinery Ltd.

ARPChem 人工光合成化学プロセス技術研究組合 Japan Technological Research Association of Artificial Photosynthetic Chemical Process

ARRA 米国再生・再投資法 または米国再生法 The American Recovery and Reinvestment Act of 2009

ARS 軽金属製品協会技術研究委員会試験規格 Aluminium Research Standard

A/S 掛売り Account Sales

AS オーストラリア国家規格 Australian Standards

AS 塩化ビニル管・継手協会規格 Association Standard

AS 硫酸バンド aluminum sulfate

AS 【化合物】アクリロニトリルスチレン共重合体 Acrylonitrile Stylene Copolymer

As built 【図面記号】竣工図 As built

ASA 米国国家規格 American Standards Association

ASAP 至急、できるだけ早く As Soon As Possible アサップ、エイエスエイピー、エイセップ

ASCC アミン応力腐食割れ Amine stress corrosion cracking

ASCC 湿潤大気応力腐食割れ Atmospheric Stress Corrosion Cracking

ASCE 米国土木学会 American Society of Civil Engineers

ASCII 文字コード体系の一つ American Standard Code for Information Interchange アスキー

ASEAN 東南アジア諸国連合 Association of Southeast Asian Nations インドネシア , シンガポール , タイ , フィリピン , マレーシア , ブルネイ , ベトナム , ミャンマー , ラオス , カンボジアの 10 カ国

ASEAN ＋ 3 ASEAN10 カ国 + 日本、中国、韓国

ASF アンダーソン・シュルツ・フローリィ分布 Anderson-Schulz-Flory

ASHRAE 米国熱・冷凍空調工業会 American Society of Heating Refrigeration and Air Conditioning Engineers

ASM 米国金属学会 American Society for Metals

asm 【図面形式名】 IBM 3 次元 CAD ソフト「CATIA」、日本パラメトリック・テクノロジー 3D CAD「Pro/ENGINEER」、UGS の CAD ソフト「Solid Edge」のファイル形式

ASME 米国機械学会 American Society of Mechanical Engineers アスメ

ASME-BPE American Society of Mechanical Engineers-BioProcess Equipment

ASME-PCC ASME 供用中検査規格委員会 Post Construction Standards Committee

ASN フランス原子力安全庁 Autoritü de süretü nuclüaire

ASP アプリケーションサービスプロバイダ Application Service Provider

ASR アルカリシリカ反応 Alkali Silica Reaction

ASTM 米国材料試験協会規格 American Society for Testing and Materials

ASU 空気分離装置 Air Separation Unit

ATD 冷凍機凝縮器出口温度－冷却水入口温度 Apploach Temperature Difference [関連]LTD

ATEX EU 防爆基準 Equipmet and Protective Systems intended for use in Potentially Explosive Atmoshares

ATJ アルコール由来ジェット燃料 Alcohol to Jet

ATM 【図面記号】大気開放 Atomospher

ATM 現金自動預け払い機 Automated Teller Machine

atm 【単位】圧力単位＝気圧＝ 101,325Pa atmosphere アトム

ATP　技術的な進歩への適合 Adaptation to Technical Progress
ATP　アデノシン三リン酸　adenosine triphosphate
ATR　新型転換炉　Advanced Thermal Reactor
ATS　自動列車停止装置　Automatic Train Stopper
Att.　添付（書類）Attached
attn　配布先　attention
AUC　ROC 曲線下面積 Area under the curve
AUSC　先進超々臨界圧ボイラ（火力）
　　Advanced Ultra Super Critical Steam Boiler
AVB　振れ止め金具 Anti Vibration Bar
AVC　アーク電圧制御 Arc Voltage Control
AVR　自動電圧調整器　Automatic Voltage Regulator
AVT　揮発性物質処理　All Volatile Treatment
AWWA　米国水道協会規格
　　American Water Works Association
AY　【会社名】旭有機材㈱ Asahi Yukizai Corporation

B

B【単位】配管等の口径のインチ表記。呼び径　A=American、
　B=British が語源という説がある　［関連］A
-B【配管材料】鍛接　Furnace Butt Weld　パイプ
BA　幅広いアプローチ Broader Approach
BAC　完成予算 Budget At Completion
BAORC【会社名】バンダルアバス石油精製会社（イラン）
　　BORC が正式略号　Bandar Abbas Oil Refining Company
BAPCO【会社名】バハレーン石油会社
　　The Bahrain Petroleum Company
bar【単位】圧力単位　バール　CGS 単位系
　　1bar = 100,000 Pa
BAS　日本ベアリング工業会規格

Japan Bearing Industrial Asociation Standard
BAS　【配管材料】閉止板＆スペーサー　Blind & Spacer
BAS ／ BASc　工学士　Bachelor of Applied Science
　　［関連］BE/Beng, B.Sc
BASF【会社名】ドイツの化学メジャー。通称「バスフ」
　　Baden Aniline and Soda Manufacturing
　　［関連］Bayer, Dow, Du Pont
BAU　現状維持　Business as Usual
BAV【配管材料】ボール弁　Ball Vaive
Bayer【会社名】バイエル。ドイツの化学メジャー　Bayer AG
BB　【配管材料】ボルテッド・ボンネット　Bolted Bonnet
bbl【単位】容積の単位　Barrel　バレル、バーレル
　　1 バレル＝約 158 リットル、主に原油に用いる
BBP　生分解性バイオマスプラスチック Bio- degradable/Bio-
　　based Plastics
BC　【配管材料】ボルテッド・カバー／キャップ
　　Bolted Cover ／ Cap
BC　【配管材料】青銅　Bronze
b.c.　B.C.　紀元前　Before Christ　［関連］A.D.
BCA　シンガポール建設局 Building and Construction Authority
BCAA【化合物】分岐鎖アミノ酸　Branched Chain Amino Acid
bcc　体心立方 Body Centered of Cubic
BCC　ビーシーシー　Blind Carbon Copy
BCF【単位】10 億立方フィート　Billion Cubic Feet
　　［関連］CCF, MCF, MMCF, TCF
BCIA　ブラウンコール・イノベーション・オーストラリア
　　Brown Coal Innovation Australia
BCL　褐炭液化技術 Brown Coal Liquefaction
bcm　【単位】10 億㎥　Billion Cubic Meter
BCM　事業継続マネジメント Business continuity management
BCP【会社名】バンチャック石油㈱

超強力型不動態処理（表面改質）であくなき前進！

"一流から超一流へ" ステンレスで世界にはばたく ケミカル山本

当社の電源器と
中性塩電解液による

ウルトラ不動態皮膜の実力が相次ぎ立証!!

ケミヤマ博士

麺つゆ殺菌機チーズ配管（フェルール部）

未処理

ウルトラ不動態化処理
〈ピカ素NEO＃ブライトACW使用〉

なんと！1週間にて腐食発生

約4年半後も正常

材質：SUS316L

応力腐食割れ試験結果

未処理

ウルトラ不動態化処理
〈ピカ素＃SUS SCC使用〉

亀裂

亀裂なし

・試験法：JIS G0576（A法）・材質：SUS329J4L・試験時間：8hr

改質処理受託工事も請け賜わります。
お気軽にご相談ください。

第8回ものづくり日本大賞「経済産業大臣賞」受賞

第46回発明大賞「発明功労賞」受賞

ステンレスにより耐食性と輝きを
株式会社 ケミカル山本
Chemical Research

経済産業省選定
地域未来牽引企業

本　社　〒731-5121　広島市佐伯区五日市町美鈴園17-5
クリエイトセンター〒738-0039　広島県廿日市市宮内工業団地1-10
TEL.0829-30-0820　FAX.0829-20-2253

技術相談専用なんでもお気軽に
SUS304にツヨサ
0120-304-243
ホームページ　https://chemical-y.co.jp

The Bangchak Petroleum Public Co., Ltd.
BCP　事業継続計画（緊急時企業存続計画）
　　Business Continuity Plan
BCR　バーコードリーダー Bar Code Reader
BCSR　バハレーン調査・研究センター
　　Bahrain Center for Studies & Research
BCWP　出来高実績 Budget Cost Work Performed
BCWS　出来高予算 Budget Cost Work Scheduled
BD【単位】バレル/日　Barrel Per Day　1日当たりの通油量
BD【化合物】ブタンジオール　Butanediol
B/D　銀行為替　Bank Draft
B-DASH　下水道革新的技術実証研究 Breakthrough by Dynamic
　　Approach in Sewage High Technology Project
BDBA　設計基準外事故 Beyond Design Basis Accidents
BDBE　設計基準外事象 Beyond Design basis Events
BDEP　基本設計パッケージ
　　Basic Design and Engeneering Package
BDF　バイオディーゼル燃料　Bio-diesel Fuel
BDP　基本設計書　Basic Design Package
BDV　ブローダウン弁 Blow Down Valve
BE【図面記号】ベベル エンドかさ開先端　Bevel End for Pipe
B/E　為替手形　Bill of Exchange
BE/Beng　工学士　A Bachelor of Engineering
　　［関連］B.Sc, BAS/BASc
BECCS　バイオマスエネルギー二酸化炭素回収・貯留
　　Biomass Energy Carbon dioxide Capture and Storage
BEDD　基本設計条件書　Basic Engeneering Design Data
BES　メタン生成菌阻害剤（2-プロモエタンスルホン酸）
　　Bromoethanesulfonate
BESS　電力貯蔵システム Battery Energy Storage System
BEV　蓄電池電気自動車 Battery Electric Vehicle
BF　バットフュージョン（融着）Butt Fusion
BF (BLF)【配管材料】閉止フランジ　Blind Flange
BF【会社名】ビーエフ工業㈱　バタフライ弁のButterFryに
　　由来

BFG　高炉ガス　Blast Furnace Gas
BFP　ボイラ給水ポンプ Boiler Feed Pump
BFS　ブリルアン周波数シフト　Brillouin Frequency Shift
BFW　ボイラー給水 Boiler Feed Water
BᶠS　ドイツ連邦放射線防護庁　Bundesamt fur Strahleeschutz
BG【会社名】英国ガス公社 British Gas
BGL　β-グルコシダーゼ　β-glucosidase
BHI【会社名】米国 Baker Hughes 社
bid【契約】入札（＝Tender）bid
BI　バイオインフォマティクス BioInformatics
BI　ビジネスインテリジェンス Business Intelligence

BILL　集計、集計表　Bill
BIM　ビルディングインフォメーションモデル
　　Building Information Modeling
BIOS　周辺機器を制御するプログラム群
　　Basic Input／Output System　バイオス
Bio-SPK　グリーンジェット燃料の製造法 Bio-Synthetic
　　Paraffinic Kerosene [関連]FT-SPK、DSHC
BIPM　国際度量衡局
　　International Bureau of Weights and Measures
　　度量衡と国際単位システムの世界統一を目的としている機関
BJ【図面記号】ボールジョイント　Ball Joint
B/L　船荷証券　Bill of Landing
B.L.【図面記号】境界　Buttery Limit
BLCP　事業活動・生活の維持
　　Business and Living Continuity Plan
BLE　BLE ProcessTM　Blade Life Extension
BLO【契約】建設、リース、運営・管理の略
　　Build Lease Operate
Bm　インチ・メーター　Inch×Meter
　　口径（インチ表示）×長さ（メートル）［関連］DI, DB
BM　事後保全　Breakdown Maintenance
B/M、BM　材料集計　Bill of Material
　　［関連］BOM, BQ, MTO
bmp【図面形式名】ビットマップ画像ファイル BiTmaP
B.N【図面記号】ボルト・ナット　bolt & nut
BNetzA　ドイツ連邦ネットワーク庁 BundesNetzAgentur
BOA　単価協定書（＝BPOA）ブランケット・オーダー
　　Blanket Order Agreement　［関連］BPOA
BOCDR　ブリルアン光相関領域リフレクトメトリ　Brillouin
　　Optical Correlation Domain Reflectometry
BOD　生物化学的酸素要求量　Biochemical Oxygen Demand
　　［関連］COD, DO
BOE　石油換算値　Barrels of Oil Equivalent
　　天然ガス等を原油に換算
BOG　自然入熱などにより気化するガス　Boil Off Gas
BOJ　日本銀行　Bank of Japan
BOM　部品表。プラント業では「材料集計表」
　　Bill of Material［関連］BM, BQ, MTO
BOND【契約】入札ボンド、履行ボンド
BONGO　欧州ガス研究グループ（GERG）が推進するバイオガ
　　ス輸送研究プロジェクト
　　Biogas and Others in Natural Gas Operations
BOO【契約】建設、管理・運営　Build Own Operate
BOP【図面記号】配管の底面　Bottom Of Pipe
　　［関連］TOP
BOP　補助系設備　Balance of Plant
BOP　噴出防止装置　Blow-Out Preventer
BOP　光学式ボイド率センサ Bi-Optical Probe
BOP　ブローアウト・プリベンター Blowout Preventer
BORC【会社名】バンダルアバス石油精製会社（イラン）
　　Bandar Abbas Oil Refining Company　BAORCとも略す
BOS　ブラックアウトスタート BlackOut Start
BOS【配管材料】ボス　Boss　管継手
BOT【契約】民間事業者が自ら資金を調達し、施設を建設
　　（Build）し、一定期間（数十年）管理・運営（Operate）を
　　行い資金回収後、公共に施設を移転（Transfer）する
　　Build Operate Transfer
BP【会社名】英国の石油メジャー　旧社名；British Petroleum
BP　沸点　Boiling Point
BPA【化合物】ビスフェノールA　bisphenol A
BPCS　基本制御システム　Basic Process Control System
BPCD【単位】装置の通油能力を示す単位
　　Barrel Per Calendar Day

装置の通油能力を示す単位で、1年間の処理量（バレル）を暦日（365日）で割った値　［関連］BPSD

BPD【単位】バレル/日　Barrel per Day
1バレル＝約159リットル

BPE【規格】ASME-BPE BioProcessing Equipment

BPO　バックプルアウト型（ポンプ）Back Pull-Out type

BPOA　単価協定書（＝BOA）ブランケット・オーダー Blanket（Purcace）Order Agreement　［関連］BOA

BPPT　インドネシア技術評価応用庁 Badan Penkajian dan Penerapan Teknologi

BPR　殺生物性製品規則 Biocidal Products Regulation

BPRV　バックリングピンレリーフバルブ Buckling Pin Relief Valves

BPS【単位】ビット／秒　bit per second

BPSD【単位】装置の通油能力を示す単位
Barrel Per Stream Day
装置の通油能力を示す単位で、1年間の処理量（バレル）を稼働日数で割った値。装置の設計能力を表すのに用いる　［関連］BPCD

BPT　BPT分布 Brownian Passage Time

BPTCS【規格】圧力機器技術規格委員会 Board on Pressure Technology Codes and Standards

BPTT【会社名】英石油大手BPのトリニダード・トバゴ法人 BP Trinidad and Tobago

BPVC、B&PV【規格】ボイラ・圧力容器基準 Boiler and Pressure Vessel Code

B/Q、BQ　材料集計 Bill of Quantity
［関連］BM, BOM, MTO

BR【図面記号】パイプ曲率半径　Pipe Bending Radius

BR【化合物】ブタジエンゴム　butadiene rubber

BREW　携帯電話向けのソフトウェア実行環境の一つ Binary Runtime Environment for Wireless

BRICs　ブラジル、ロシア、インド、中国（＋南アフリカ）Brazil、Russia、India、China（＋SouthAfrica）

BRRP　座屈拘束波形鋼板 Buckling-Restrained Rippled Plate damper

BS　英国国家規格　British Standards　［関連］BSI

BS＆B【会社名】BS＆Bセイフティ・システムズ

BS&Bセイフティ・システムズ株式会社
〒221-0052 横浜市神奈川区栄町5-1 横浜クリエーションスクエア
TEL：045-450-1271　FAX：045-451-3061
http://www.bsb-systems.jp/

B.S.、B.Sc. or BSc　工学士　a Bachelor of Science
［関連］BE/Beng, BAS/BASc

B.Sc.　経営管理・業績評価システム　balanced scorecard

BS、B/S　貸借対照表　Balance Sheet

BSC　バランススコアカード　balanced scorecard

BSF　生体溶解性繊維　Bio Soluble Fiber

BSI　英国標準協会　British Standards Institution

BSR　海底疑似反射面　Bottom Simulating Reflector

BTL　バイオマスを原料として液体燃料を製造するプロセスおよび製品の総称　Biomass To Liquid
［関連］GTL, CTL BTL, GTG, MTG

BTM【配管材料】ボトム　Bottom

BTO【契約】建設、移転、運営・管理の略
Build Transfer Operate

Btu【単位】熱量単位　British Thermal Unit
1Btu＝約268J＝約252cal

BTX　ベンゼン、トルエン、キシレン類の総称
Benzene, Toluene and Xylene

BUV【配管材料】バタフライ弁　Butterfly Valve　バルブ

BVOC　生物起源揮発性有機化合物。生物起源揮発性炭化水素 Biogenic volatile organic carbon　［関連］VOC

BW【配管材料】突合せ溶接　Butt Weld
バット・ウエルド　管継手、バルブ

BW.CAP【図面記号】突合せキャップ　Butt Weld Cap

BWE　バケットホイールエクスカベーター bucket wheel excavator

BWR　沸騰水型原子炉　Boiling Water Reactor
［関連］PWR, APWR, ABWR

BWRA　後の The Welding Institute（TWI）British Welding Research Association

C

C【配管材料】キャップ又はカップリング　Cap or Coupling 管継手

C（℃）【単位】摂氏（セルシウス温度）degrees Celsius
［関連］K, ℉, deg

C.A.【配管材料】腐れ代　Corrosion Allowance

CAA　大気浄化法（米国）Clean Air Act

CAD　設計支援コンピュータシステム
Computer Aided Design　［関連］CAM

CADD　CADの小分類で、「製図」分野を示す
Computer Aided Design and Drafting

CAE　エンジニアリング支援コンピュータシステム
Computer Aided Engineering

CAES　圧縮空気エネルギー貯蔵 Compressed Air Energy Storage

CAF　石綿ジョイントシート Compressed Asbestos Fiber sheet

CAFTA-RD　中米自由貿易協定
Central Amerian Free Trade Agreement

CAJS　セメント協会標準試験方法
The Cement Association of Japan Standard

Calc【配管材料】計算値　Calculation

Callide　カライド酸素燃焼プロジェクト　Callide Oxyfuel Project　カライド　日豪国際協力プロジェクト

CALM　懸垂線アンカレグ係留 Catenary Anchor Leg Mooring

CALS　2006年にCALS/ECへ　Computer-Aided Logistics Support System　カルス

CALS/EC　公共事業支援統合情報システム、Continuous Acquisition and Life-cycle Support/Electronic Commerce

CAM　コンピュータ支援製造
Computer Aided Manufacturing　キャム　［関連］CAD

CANDU　カナダ型重水炉、キャンドゥ炉
Canadian Deuterium Uranium Reactor

CAP【図面記号】キャップ　Cap

CAPECO　パラグアイ穀物・油糧作物輸出協会
Caribbean Petroleum Corporation

CAPEX　設備投資　CAPital Expenditure
キャペックス（カペックス）［関連］OPEX

CARB　カリフォルニア州大気質評議会
Carifornia Air Resources Board

CASBEE　建築物総合環境性能評価システム

Comprehensive Assessment System for Building Environmental Efficiency　キャスビー

CASCO　ISO適合性評価委員会　Comittee on Conformity Assessment

CASE　自動車産業のキーワード　Connected,Autonomous,Shared,Electric

CAT　触媒　Catalyst　CAT & lyst

CB　防爆適合証　Certification Body

CB　カーボンブラック　Carbon Black

CB　転換社債　Convertible Bond

CBH　【化合物】セロビオヒドロラーゼ　Cellobiohydrolas

CBM　炭層メタン　Coal Bed Methane
　　［関連］EGR, ECBM, EOR

CBM　状態基準保全　Condition Based Maintenance
　診断装置により状態を監視し、「異常」と診断された場合に保全を行うこと　［関連］EM, RBM, TBM, PM

CBP　糖化発酵同時進行　Consolidated Bioprocessing
　　［関連］SSF, SSCF

CBP　一貫バイオプロセス　consolidated bioprocessing

CC　コンバインドサイクル（複合）発電　Combined Cycle
　ガスタービンと蒸気タービンを組み合わせた発電
　　［関連］ACC, MACC, GTCC

CC　シーシー　Carbon Copy

CCB(Standards)　気候変動、地域社会、生物多様性対策への影響評価 The Climate, Community and Biodiversity Standards

CCC　炭酸カルシウムコンクリート　Calcium Carbonate Concrete

CCD　電荷結合素子　Charge Coupled Diode

CCDs　冷房ディグリー・デー Cooling　Degree Days

CCE　循環経済　Circular Carbon Economy

CCEC　【会社名】千代田化工建設㈱
　Chiyoda Chemical Engeneering & Construction
　英語名を Chiyoda Corporation に改称する前の旧呼称

CCF　【単位】100 立方フィート　centum cubic feet
　1 CCF = 2.8m³　［関連］MCF, MMCF, BCF, TCF

CCGT　コンバインド・サイクル・ガスタービン　Combined Cycle Gas Turbine

CCH　コンプライアンスチェック　Compliance Check

CCIM　コールドクルーシブル誘導加熱炉 Cold Crucible Induction Melter

CCM　環境循環型メタノール　Circular Carbon Methanol

CCP　重要管理点　Critical Control Point　HACCP 関連用語
　　［関連］HACCP, HA, CCP, GMP, SSOP

CCPA　カナダ化学品生産者協会
　Canadian Chemical Producers' Association

CCPS　米国化学工学会プロセス安全センター Center for Chemical Process Safety　[関連]AIChE

CCR　コンラドソン残留炭素　Conradson Carbon Residue

CCR　中央制御室　Central Control Room

CCR　触媒連続再生プロセス　Continuaus Catalyst Recycle

CCR　接触改質装置　Continuous Catalytic Regeneration

CCS　二酸化炭素回収・貯留
　Carbon Dioxide Capture and Storage

CCS　貨物格納設備 Cargo Containment system

CCT　耐複合腐食サイクル試験 Cyclic Corrosion Tester

CCT　臨界隙間腐食温度 Critical Crevice Temperature

CCT　クリーン・コール・テクノロジー　Clean Coal Technology

CCTS　二酸化炭素回収・輸送・貯留
　Carbon Capture Transport and Storage CCS とほぼ同意語だが、輸送も重要と強調した表現

CCU　カーボンリサイクル技術 Carbon (dioxide) Capture & Utilization

CCUJ　石炭利用総合センター
　Center for Coal Utilization, Japan
　石炭エネルギーセンターに統合　［関連］JCOAL, JLAS

CCUS　二酸化炭素回収・石油増進回収・貯留 Carbon Capture Utilization and Storage CO₂ を EOR に利用すること

CDA　概念設計活動　Conceptual Design Activities

CDE　共通データ環境 Common Data Environment

CDM　クリーン開発メカニズム　Clean Development Mechanism

CDMA　符号分割多元接続　Code Division Multiple Access

CDO　チーフ デジタル オフィサー Chief Digital Officer

CDOG　石油・天然ガスの水柱中での拡散モデル
　omprehensive Deepwater Oil and Gas Blowout Model

CDQ　コークス乾式消火設備 Coke Dry Quencher

CDR　【航空・宇宙】最終設計審査 Critical Design Review

CDU　原油蒸留装置 , 常圧蒸留装置 Crude Destilation Unit

CEA【会社名】インド中央電力局 Central Electricity Authority

CEA　フランス原子力庁　Commissariat a l'Energie Atomique

CEAA　カナダ環境評価法（局）Canadian Environmental
　Assessment Act（Agency）

CEC　陽イオン交換容量 Cation Exchange Capacity

CEC　【会社名】 コスモエンジニアリング㈱
　Cosmo Engineering co., ltd.

CEC　中国電力企業連合会 China Electricity Council

CEFIC　欧州化学工業団体協議会
　Conseil Europeen des Federaitons de l'Industrie Chimique

CEFTA　中欧自由貿易協定
　Central Europe Free Trade Agreement

CEGH【会社名】Central European Gas Hub

CEL　連成オイラー・ラグランジュ法 Coupled Eulerian Lagragian

CEM　クリーンエネルギー大臣会合 Clean Energy Ministerial

CEN　欧州標準化委員会
　European Committee for Standardization

CENELEC　欧州電気標準化委員会
　European Committee for Electrotechnical Standardization

CEO　事務総長、最高執行責任者　Chief Executive Officer
　　［関連］CFO, CIO, COO, CTO

CEPCO【会社名】中部電力㈱。通称「中電」、「中部電」
　Chubu Electric Power Company, Incorporated

CER　認証排出削減量 Certified Emission Reductions

CER　中央機械室　Central Equipment Room

CERM　協調的緊急時対応措置
　Co-ordinated Emergency Response Measures

CERN　欧州原子核研究機構 Conseil Européen pour la Recherche Nucléaire

CESM　通信機械工業会技術標準
　Communication Engineering Standard Material

CF　【単位】 立方フィート　Cubic Feet 1CF = 28 リットル
　　［関連］CCF,MCF,MMCF,BCF,TCF

cf.　参照　confer　コンファー

CFB　循環流動層ボイラ　Circulation Fludized Bed Boiler

CFBC　循環流動床 Circulate Fluidized Bed Combustion

CFC　【化合物】クロロフルオロカーボン Chlorofluorocarbon

CFD　計算（数値）流体力学　Computational Fluid Dynamics

CFD　【単位】ft³/day　Cubic Feet Per Day

CFIHOS　ハンドオーバースタンダードの国際標準（ISO）作成プロジェクト Capital Facilities Information HandOver Specification

CFL　CFL 条件　Courant-Friedrichs-Lewy Condition

CFM　【単位】風量 Cubic Feet per Minute

CFO　最高財務責任者　Chief Financial Officer
　　［関連］CEO, CIO, COO, CTO

CFR　故障率一定型 Constant Failure Rate [関連]DFR、IFR

CFR　【契約】 運賃込み条件　C&F Cost and Freight
　商品価格に運賃を含んだ価格　［関連］DES, FOB, CIF

CFR　米外交問題評議会　Council on Foreign Relations

CFRP　【化合物】 炭素繊維強化樹脂
　carbon fiber reinforced plastics

CFRTP　【化合物】 繊維強化熱可塑性樹脂
　carbon fiber reinforced thermoplastics

CFS　非石綿ジョイントシート Compressed Fiber Sheet

cfu 【単位】菌数 Colony Forming Unit
CGC 【JIS 鉄鋼】 塗装溶融亜鉛めっき鋼板及び鋼帯
　Color, Galvanized, Cold (構造用) JIS G 3312
CGCC 【JIS 鉄鋼】 塗装溶融亜鉛めっき鋼板及び鋼帯
　Color, Galvanized, Cold, Commercial (一般用) JIS G 3312
CGCD 【JIS 鉄鋼】 塗装溶融亜鉛めっき鋼板及び鋼帯
　Color, Galvanized, Cold, Drawn (絞り用) *: 等級 JIS G 3312
CGCH 【JIS 鉄鋼】 塗装溶融亜鉛めっき鋼板及び鋼帯
　Color, Galvanized, Cold, Hard (一般硬質用) JIS G 3312
CGD 商業グレード転用プロセス Commercial Grade Dedication
CGL 溶融亜鉛めっきライン Continuous Galvanizing Line
CGM 顧客発信型設備管理 Customer Generated Management
cGMP FDA が定めた食品品質基準 current Good
　Manufacturing Practice
CGN 【会社名】中国広核集団有限公司 China General Nuclear
　Power Group
CGP ケミグランドパルプ Chemi-Groundwood Pulp
CGS 【単位】 cm、g、sec (秒) を基準とした単位系
　centimetre、gram、second [関連] SI, MKS, MKSA
CGS コージェネレーションシステム Co-Generation System
CGTP ペルー労働者総連 Confederación General de
　Trabajadores del Perú
CGU 独立制御領域 Controlled Group Unit
CH コンスタントハンガ Constant Hanger
ChAS 【会社名】千代田化工建設㈱ ChAS 事業本部
　Chiyoda Advanced Solutions Corporation
CHK'D BY 【図面記号】 検図、照査、検討 Checked by
CHP 熱電併給システム Combined Heat Power
CHV 【配管材料】 逆止弁 Check Valve
CIF 【契約】 運賃・保険料込み条件
　Cost Insurance and Freight [関連] DES, FOB, CRF
CII インド工業連盟 Confederation of Indian Industry
　日本の経団連に相当
CII 建設業協会 (米国) Construction Industry Institute
CIL 【会社名】国営インド石炭公社 Coal India Limited
CIM 建設情報のモデル化 Construction Information Modeling
　[関連]BIM
CIM 計算機統合生産 Computer Integrated Manufacturing
CIMAII 重大産業事故制御規則 Control of Industrial Major
　Accident Hazards Regulations
CIO 最高情報責任者 Chief Information Officer
　[関連] CEO, CFO, COO, CTO
CIP 【契約】 輸送費込み条件
　Carriafe and Insuranace Paid To
CIP 鋳鉄管 Cast Iron Pipe
CIP 定置洗浄 Cleaning In Place [関連] SIP
CIP 冷間等方圧加工法 cold Isostatic pressing
CIS 独立国家共同体、ソ連崩壊時にソビエト社会主義共和
　国連邦を構成していた国のうちバルト三国を除く国によっ
　て結成された国家連合体 Commonwealth of Independent
　States[関連]FSR、USSR
CIS 超硬工具協会規格
　Cemented Carbide Tool Industrial Standard
CISPR 国際無線障害特別委員会 Comité international spécial
　des perturbations radioélectriques
CISTEC 安全保障貿易情報センター
　Center for Information on Security Trade
CIT カリフォルニア工科大学
　California Institute of Technology
CL 【配管材料】 クラス Class
CLB 石炭液化重質生成物 Coal Liquid Bottom
cLCA カーボンライフサイクル分析
　Carbon Life Cycle Analysis
CLG 【会社名】Chevron Lummus Global 社
CLH 調和化された分類及び表示 Harmonised Classification
　and Labelling

ビーエフ工業株式会社
バタフライバルブ・ダンパ
〒124-0011 東京都葛飾区四つ木5-24-22
TEL:03-3694-5251 FAX:03-3694-5258
http://www.bfkogyo.co.jp

CLM 溶融金属液柱 Column of Liquid molten Metal
CLOMA クリーン・オーシャン・マテリアル・アライアンス
　Clean Ocean Material Alliance
CLP 分類、ラベル、包装に関する規則
　Classification Labelling and Packaging
CISCC 塩化物応力腐食割れ Cl − SCC [関連]SCC
CM コンストラクション・マネージャー
　Construction Manager
CM 状態監視 Condition Monitoring
CMA 旧 米化学工業協会 [関連]ACC
CMAS【化合物】アルミノケイ酸カルシウムマグネシウム
　Calcium–Magnesium–Alumino-Silicate
CMC【化合物】カルボキシメチルセルロース carboxymethyl
　cellulose
CMCC 荷役制御システム操作盤 Cargo Loading Control System
CMG コントロール・モーメント・ジャイロ Control Moment
　Gyroscopes
CML【会社名】防爆認定企業の一つ Certification Management
　Limited
CMM 三次元測定機 Coordinate Measuring Machine
CMM 状態監視保全 Condition Monitoring Maintenance
CMM 炭鉱メタン Coal Mine Methane
CMMI 能力成熟度モデル統合 Capability Maturity Model
　Integration
CMMS 設備保全管理システム Computerized maintenance
　management system
CMOS 相補型金属酸化膜半導体
　Complementary Metal Oxide Semiconductor
CMPCT 【配管材料】 軽量形鋼製弁 (コンパクト)
　Compact Vaive
CMR 発がん性、変異原性、または生殖毒性 Carcinogenic,
　Mutagenic and Reproductive toxicity
CMSC The Coordinate Metrology Society
C/N 貸方表 Credit Note
CN カーボンニュートラル Carbon Neutral
CNE カーボンニュートラルエンジニアリング Carbon Neutral
　Engineering
CNF【化合物】セルロースナノファイバー Cellulose Nano Fiber
CNG 圧縮天然ガス Compressed Natural Gas
CNK カーボンニュートラルコンビナート Carbon Neutral
　kombinat
CNL カーボンニュートラル LNG, Carbon Neutral LNG
CNN 畳み込みニューラルネットワーク Convolutional Neural
　Network
CNNC 【会社名】中国核工業集団有限公司 China National
　Nuclear Corporation
CNOOC 【会社名】 中国海洋石油集団有限公司
　China National Offshore Oil Corporation
CNPC 【会社名】 中国石油天然気集団公司。略称「中国石油

集団」通称「ペトロチャイナ」
China National Petroleum Corporation

CNS 台湾工業規格 Chinese National Standards

CNS 制御ステーション、制御装置 Controller Station

CNS カナダ原子力学会 Canadian Nuclear Society

CNT カーボンナノチューブ Carbon Nanotube

Co. 会社 company

CO₂ 【化合物】二酸化炭素 Carbon Dioxide

COB 業務終了、業務終了時間 close of business

COBie コビー Construction to Opera-tions Building Information Exchange

COCOM 対共産圏輸出統制委員会
COordinating COMmittee (for Export to Communist Area)
ココム 1994年解散

COCN 産業競争力懇談会 Council On Competitiveness Nippon

COCS 低品位廃熱を利用する二酸化炭素分離回収技術開発
Cost-Saving CO₂ Capture System

COD 化学的酸素要求量 Chemical Oxygen Demand
［関連］BOD, DO

COD 代金引き換え渡し cash on delivery

CODELCO チリ銅公社
Corporacion Nacional del Cobre de Chile

CODAP【規格】フランス圧力容器コード Code de construction des appareils à pression

CoF 破損影響度 Consequence of Failure

COG コークス炉ガス Coke-Oven Gas

COI センター・オブ・イノベーション（COI）プログラム
Center of Innovation

COIL 化学酸素ヨウ素レーザ Chemical Oxygen IodineLaser

COM 閣僚会議事務局（クウェート）Council of Ministers

COMECON 経済相互援助会議
COuncil for Mutual ECONomic assistance
コメコン 1991年解散

CON/CRE/RC【配管材料】同心レデューサ
Concentric Reducer

Conn.【図面記号】接続、コネクション Connection

CON'S【会社名】㈱コンサス CONSUSS CORPORATION

Const 建設、構造 Construction

CONTAMI 汚染物質、ゴミ等 contaminant コンタミ

COO 最高執行責任者 Chief Operating Officer
［関連］CEO, CFO, CIO, CTO

COP エネルギー消費効率。成績係数 COP＝能力／消費電力
Coefficient of Performance ［関連］APF, IPF

COP 気候変動枠組条約締約国会議、地球温暖化防止国際会議
Conference of the Parties
［関連］MOP, UNFCCC, FCCC, IPCC

COP 冷凍機の成績係数 Coefficient Of Performance

COP 分解洗浄 Cleaning Out Place

COP シクロオレフィンポリマー Cyclo Olefin Polymer

COP 条約締約国会議 Conference of the Parties

COPL【図面記号】カプラ Coupler

COPOLCO ISO消費者政策委員会 Committee on Consumer Policy

CoRAP 共同体ローリング行動計画 Community Rolling Action Plan ［関連]ECHA

Corp 会社 Corporation

COURSE50 環境調和型製鉄プロセス技術開発 CO₂ Ultimate Reduction in Steelmaking Process by Innovative Technology for Cool Eaeth 50 コース50 NEDO、鉄鋼業界のCO₂削減プロジェクト

COV 変動係数 Coefficient of variation（Variance）

CP ケミカルパルプ Chemical Pulp

CP チェックポイント（保安）Check Point

CPA 3次プラス会合状態 Cubic Plus Chemical Association model

CPAF【契約】コスト・プラス・アワード・フィー契約

Cost Plus Award Fee Contract 実コストに特別成果報酬を加える契約。コストプラスフィー契約の1種

CPC【会社名】台湾中油股份有限公司略称「中油」
CPC Corporation, Taiwan 旧称「中国石油公司」
China Petroleum Corp.の略称を残している

CPCIA 中国石油和化学工業協会
China Petroleum and Chemical Industry Association

CPE 分布定数系回路素子、電気二重層容量成分
Constant Phase Element

CPF【契約】コストプラスフィー（実費精算）契約
Cost-plus Fee Contract

CP-FEM 結晶塑性有限要素法 Crystal Plasticity Finite Element Method

CPFF【契約】コストプラスフィックスドフィー（実費精算）契約 Cost-plus Fixed Fee Contract ［関連］CPF, CPIF

CPI 費用対効果係数 Cost Performance Index

CPI【会社名】中国電力投資集団公司（SPICへ経営統合）
China Power Investment

CPI 消費者物価指数 consumer price index

CPIF【契約】コストプラスインセンティブフィー（実費精算）契約 Cost Plus Incentive Fee ［関連］CPF, CPFF

CPL キャピラリーポンプループ Capillary Pump Loop

CPLG【配管材料】カップリング Coupling 管継手

CPM コンストラクション・プランニング・マネージャー
Construction Planning Manager
［関連］PM, APM, PPM, PE

CPM クリティカルパス法／限界工程管理手法
Clitycal Pass Method

CPMA インドの石油化学工業会
Chemicals and Petrochemicals Manufacturers Association

CPO 専門家派遣 Customized Program-Overseas

CPPC【契約】コスト・プラス・パーセンテージ・オブ・コスト契約 Cost Plus Percentage of Costs Contract

CPPF【契約】コストプラスパーセンテージフィー（実費精算）契約 Cost-plus Percentage Fee Contract

CPS サイバー・フィジカル・システム Cyber Physical Systems

CPS 現行政策シナリオ Current Policies Scenario

CPSA 認定基準及び基準確認方法 製品安全協会
Authorization Standard and Method of Inspection

CPT 孔食発生臨界温度 Critical Pitting Temperature

CPT【契約】輸送費込み条件 Carriage Paid To

CPU 中央処理装置 Central Processing Unit

CPV 集光型太陽電池 Concentrated Photovoltaic

CPVC ポリ塩化ビニル樹脂 Chlorinated PolyVinyl Chloride

CR 冷延鋼（板）Cold Rolled Steel

CR【契約】コストプラスフィー(実費精算)契約 Cost Reimbursable Contract

CR【化合物】クロロプレンゴム（ネオプレン）
Chloroprene Rubber

CR【図面記号】同心レジューサ Concentric Reducer

CRDM 制御棒駆動装置(原子力) Control Rod Drive Mechanism

CRE 企業不動産 Corporate Real. Estate

CRGT 化学再生ガスタービンサイクル Chemically Recuperated Gas Turbine

CRIEPI 電力中央研究所
Central Research Institute of Electric Power Industry

CRM 顧客関係管理 Customer Relationship Management

CRM 日本鉄鋼標準物質、認証標準物質 Certified Reference Material

CRP 共同研究プログラム Cooperative Research Project
[関連]OECD

CRS タワー型CSP Central Receiver System ［関連]CSP

CRSS 臨界分解せん断応力 Critical Resolved Shear Stress

CS 中心ソレノイド Central Solenoid

CS コールドスプレー Cold Spray

CSA　カナダ規格協会 Canadian Standard Association

CSBTS　中華人民共和国規格協会（中国国家標準化管理委員会（=SAC）の一部、旧 CSBS： China State Bureau of Standards）China State Bureau of Technical Supervision

CS/C-STL　【配管材料】炭素鋼／鋳鋼 Carbon Steal ／ Cast Steel

CSC　【図面記号】常時閉
通常運転時開操作してはならないバルブ Car Seal Close

CSCC　アルカリ応力腐食割れ caustic stress corrosion cracking

CSCEC　【会社名】中国建築工程
China State Construction Engineering Group

CSCS　建設産業職能証明制度 Construction Skills Certification Scheme

CSE　硫酸銅電極 copper sulfate electrode

CSG　コールシームガス Coal Seam Gas

CSIRO　オーストラリア連邦科学産業研究機構
The Commonwealth Scientific and Industrial Research Organization

CSIRT　シーサート Computer Security Incident Response Team

CSJ　【会社名】㈱ CSJ Corrosion Solutions Japan

CSLF　炭素隔離リーダーシップフォーラム
Carbon Sequestration Leadership Forum

CSM　クロロスルフオン化ポリエチレン Chlorosulphonated Polyethlene

CSO　【図面記号】常時開
通常運転時閉操作してはならないバルブ Car Seal Open

CSP　集光型太陽熱発電 Concentrating Solar Power

CSR　企業の社会的責任 Corporate Social Responsibility

CSR　共通構造規 Common Structual Rules

CSR　化学品安全性報告書 Chemical Safety Report

CST【会社名】千代田システムテクノロジーズ

CSTI　総合科学技術・イノベーション会議 Council for Science, Technology and Innovation

csv【図面形式名】データ交換用のデータ形式
Comma Separated Value

CT　小型引張試験片 Compact Tension

CT　コンピュータ断層撮影 Computed Tomography

CT　アルカリ処理 Caustic Treatment

CTA　調整技術活動 Coordinated technical activities

CTBT　包括的核実験禁止条約
Comprehensive Nuclear-Test-Ban Treaty

CTBTO　包括的核実験禁止条約機構
Comprehensive Nuclear-Test-Ban Treaty Organization

CTC　【会社名】伊藤忠テクノソリューションズ㈱
ITOCHU Techno-Solutions Corporation

CTD-CMS　海洋観測採水システム conductivity temperature-depth/carousel multi-sampling system

CTFE　クロロトリフルオロエチレン Chlorotrifluoroethylene

CTHA　化学品関税引下げ同調化協定
Chemical Tariff Harmonization Agreement

CTL　石炭を原料として液体燃料を製造するプロセスおよび製品の総称 Coal to Liquid ［関連］GTL, BTL, GTG, MTG

CTM　コントロール・マネージャー Control Manager

CTMP　ケミサーモメカニカルパルプ Chemi-Thermo-Mechanical Pulp

CTO　最高技術責任者 Chief Technical Officer
［関連］CEO, CFO, CIO, COO

CTOD　亀裂先端開口変位 Crack tip opening displacement

CTY　コバルト時間収率 Cobalt-time-yield

CUI　保温材下腐食 Corrosion Under Insulation

CUT　【配管材料】銅チューブ Copper Tube

CV　【図面記号】調節弁 Control Valve

CV　原子炉格納容器 Containment Vessel

CV　原価差異 Cost Variance

CVA　カソード真空アーク Cathodic Vacuum Arc

CVA　アルミナイジング Chemical Vapor Aluminizing

CVCF　定電圧・周波数電源装置
Constant Voltage Constant Frequency

CVT　AC/DC コンバータ converter

CVT　無段変速機 Continuously Variable Transmission

CW　【図面記号】冷却水 Cooling Water ［関連］WCS

CW　連続波 Continuous Wave

C.W.O　現金払い Cash With Order

CWP　【配管材料】曲面ワイドプレート Curved wide plate

CWP　建設作業パッケージ Construction Work Package [関連] IWP

CWPP　コンゴ横断送水パイプラインプロジェクト Congo Cross-Border Water Pipeline Project

CWT　酸素処理法 Combined Water Treatment
貫流ボイラ水処理方法の一つ

CY　暦年 Calendar Year ［関連］FY

CYD　【会社名】千代田化工建設㈱ Chiyoda Corporation

CVD　化学的気相成長法 chemical vapor deposition

CZAC　【JIS 鉄鋼】塗装溶融亜鉛 -5％アルミニウム合金めっき鋼板及び鋼帯 Color, Zinc, Aluminium, Cold, (構造用) JIS G 3318

CZACC　【JIS 鉄鋼】塗装溶融亜鉛 -5％アルミニウム合金めっき鋼板及び鋼帯 Color, Zinc, Aluminium, Cold, Commercial (一般用) JIS G 3318

CZACD*　【JIS 鉄鋼】塗装溶融亜鉛 -5％アルミニウム合金めっき鋼板及び鋼帯 Color, Zinc, Aluminium, Cold, Drawn (絞り用) *:等級 JIS G 3318

CZACH　【JIS 鉄鋼】塗装溶融亜鉛 -5％アルミニウム合金めっき鋼板及び鋼帯 Color, Zinc, Aluminium, Cold, Hard (一般硬質用) JIS G 3318

サビ キズ 異物 による損失を回避する

テキサス生れ P3
最新 フランジ・配管保護 パッケージ システム

flangeDOTS®　flangeBUMPER®　multiNUTS™

 株式会社CSJ Corrosion Solutions Japan

Mail: p3-info@csj1.co.jp
Tel: 03-5307-7123
Fax: 03-5307-7124

P3 CSJ 動画 ｜検索｜

D

DA 決定分析 Decision Analysis

DAC 直接空気回収 Direct Air Capture

DACCS 直接空気回収＋CCS Direct Air Capture＋CCS [関連] DAC、CCS

DAF 【契約】国境持ち込み渡し条件 Delivered At Frontie

DAF 加圧浮上 Dissolved Air Flotation

DAG 【化合物】ジアシルグリセロール diacylglycerol

DAP 【化合物】ジアリルフタレート（フタル酸ジアリル）Dially Phthalate

DAS 分布型センサー Distributed Acoustic Sensor

DAS デンドライトアーム間隔 Dendrite Arm Spacing

DB デザインビルド Design Build

DB データベース Database

DB & BV ダブルブロック / ブリードバルブ Double Block and Bleed Valves

DBA 応力解析に基づく設計 Design by Analysis

DBA 設計基準事故 Design Basis Accidents

DBE 設計基準事象 Design Basis Events

DBF 設計式とルールに基づいた設計基準 Design by Formulas

DBFO 【契約】設計、建設、資金調達、運営の略 Design、Build、Finance、Operate

DBNPA 【化合物】2、2-ジブロモ -3- ニトリロプロピオンアミド 2,2-dibromo-3-nitrilopropionamide

DBO 【契約】DBO 方式（建設－譲渡－運営）design build operate

DBR 設計式とルールに基づいた設計基準 Design by Rules

DC 直流 Direct Current [関連] AC

DC （鋳造）ダイレクトチル鋳造 Direct Chill

DCF （法）収益還元法 Discounted Cash Flow

DCPD 直流電位差 Direct Current Potential Drop

DCS ダイカストの標準（社団法人日本ダイカスト協会）Die Casting Standards

DCS 分散型制御システム Distributed Control System

D/D 詳細設計 Detail（-ed）Design

D/D 期日指定払い Days after Date

DD 直接取引（DD 原油）Direct Deal
産油国が国際石油会社の手を経ずに直接、消費国の需要家に販売する原油取引
DD 原油：direct deal crude oil（直接販売原油）

DD デューデリジェンス Due Diligence
英語の Due（当然支払うべき）、Diligence（努力）を組み合わせた造語で、投資対象の適格性を把握するために行う調査活動全般評価

DDA 累積異常解析 Discretized Data Analysis

DDC 直接ディジタル制御 Direct Digital Controls

DDP 【契約】仕向地持ち込み渡し・関税込み条件 Delivered Duty Paid
売主は、指定された目的地まで商品を送り届けるまでのすべてのコスト（輸入関税を含む）とリスクを負担する

DDS 薬物送達システム Drug Delivery System

DDT 燃焼（爆燃）から爆轟へ転移する事 Deflagration to Detonation Transition

DDT 【化合物】有機塩素系の殺虫剤、農薬の一つ Dichloro-diphenyl-trichloroethane

DDU 【契約】仕向地持ち込み渡し・関税抜き条件 Delivered Duty Unpaid
売主は、指定された目的地まで商品を送り届けるまでのすべてのコストとリスクを負担するが、輸入関税については買主が負担する

DEAE 【化合物】ジエチルアミノエチル diethylaminoethy

DEC 設計拡張状態 Design Extension Conditions

DEF エトリンガイト遅延生成 Delayed Ettringite Formation

deg 【単位】角度、℃ Degree [関連] ℃, K, ℉, deg

DEKRA 防爆認定企業の一つ ドイツ自動車検査協会として発足 Deutscher Kraftfarzeug

DEM 数値標高モデル Digital Elevation Model [関連] DTM

DEP 設計とエンジニアリングに関する要求事項 Design and Engineering Practice

DEP ディーゼル排気微粒子 Diesel Exhaust Particles

DEPA 【会社名】ギリシア国営ガス供給会社 Public Gas Corporation S.A.

Dept. 部、課 Department

DEQ 【契約】仕向港埠頭渡し条件 Delivered Ex Quay

DES 【契約】仕向港着船渡し条件 Delivered Ex Ship
揚地売買のことで、それまでの費用は全て売り主負担 [関連] FOB, CIF, CRF

DESFA 【会社名】ギリシア国営ガス輸送システム管理会社 Hellenic Gas Transmission System Operator S.A.

DES. TMP 【図面記号】設計温度 design Temperature

DESY ドイツ電子シンクロトロン研究所 Deutsches Elektronen-Synchrotron

DEVCO ISO 発展途上国対策委員会 Committee on Developing Countries

DF 【JIS 鉄鋼】ダクタイル鋳鉄異形管 Ductile, Fittings JIS G 5527

DFC 直接形燃料電池 Direct Fuel Cell [関連] AFC, MCFC, PAFC, PEFC

DFD データフロー図 Data Flow Diagram

DFDE ２元燃料ディーゼル電気推進機関 Dual Fuel Diesel Electric Propulsion Plant System

DFR 故障率減少型 Decreasing Failure Rate [関連]CFR、IFR

DFT 離散フーリエ変換 Discrete Fourier Transform [関連] FFT

DFT 密度汎関数理論 density functional theory

DGAT【化合物】ジアシルグリセロールアシル基転移酵素

DGGE 変性剤濃度勾配ゲル電気泳動法 Denaturing Gradient Gel Electrophoresis

DGM 参事官、次長、副本部長、事務局次長、審議官 Deputy Director General

DGN【図面形式名】MicroStation（ベントレー・システムズ）のファイル

DHC 地域冷暖房 District Heating and Cooling

DHF【会社名】第一高周波工業㈱ DAI-ICHI, High Frequency Co., Ltd.

第一高周波工業株式会社
〒103-0002 東京都中央区日本橋馬喰町1-6-2
TEL 03(5649)3721 FAX 03(5649)3722
URL http://www.dhf.co.jp

DI、DB ダイア（ダイヤ）・インチ Dia.×Inch
配管口径（インチ）×接続点の数。溶接線の長さに比例する指標で、配管工事量（溶接量）を表す場合に用いる
[関連] Bm

DIA 【配管材料】 外径、口径 Diameter 配管材料共通
[関連] ID, OD

DIC デジタル画像相関法 Digital Image Correlation

DICOM 医療用 3D データフォーマット Digital Imaging and Communications in Medicine

DiD 多重防護 Defense in Depth

DIET 電子遷移誘起脱離 Desorption Induced by Electronic Transition

DIFF. 【図面記号】 差 differential
DIFF. Pressure（差圧）の様に用いる

DIN ドイツ国家規格 Deutsches Institut fur Normung

DIO デジタル入出力 Digital I/O ディーアイオー
[関連] IO, AIO

DIS 国際規格案 Draft International Standard

disc. 値引き discount

DIV. 部門、部署、区分 Division

DLC ダイヤモンドライクカーボン Diamond-Like Carbon

DLP デジタル・ライト・プロセッシング
Digital Light Processing

DM 意思決定 Decision Making

DM 損傷因子 Damage Factor

DMC ジメチルカーボネート Dimethyl Carbonate

DMD デジタルミラーデバイス Digital Micromirror Device

DMDPS 【化合物】 ジメトキシジフェニルシラン
Dimethoxydiphenylsilane

DME 【化合物】 ジメチルエーテル Dimethyl Ether

DME 距離測定装置 Distance Measuring Equipment

DMR 天然ガスの液化プロセス（Shell） Dual Mixed Refrigerant

DMS 日本ダイカストマシン工業会規格
Japan Diecasting Machine Manufacturer's Association Standard

DMSP 米空軍防衛気象衛星プログラム
Defense Meteorological Satellite. Program

DMT 【化合物】 テレフタル酸ジメチル
dimethyl terephthalate

DMU デジタル・モック・アップ Digital Mock-Up

DN ミリ (mm) Nominal Diameter

DNS 直接数値シミュレーション Direct Numerical Simulation

DNT 【会社名】大日本塗料

DNV 【会社名】デット・ノルスケ・ベリタス Det Norske Veritas

DO デジタルオフィサー Digital Officer [関連]CDO

DO ディーゼル油 Diesel Oil

DO 溶存酸素量 Dissolved Oxygen [関連] BOD, COD

DOB 生年月日 Date of Birth

doc（x） 【図面形式名】 Word 用ドキュメントファイル Document

DOE 米国エネルギー省 Department of Energy

DONET 地震・津波観測監視システム Dense Oceanfloor Network system for Earthquakes and Tsunamisand Tsunamis

DOPA 【化合物】 ジヒドロキシフェニルアラニン
3,4-dihydroxyphenylalanine

DOP 【化合物】 フタル酸ジオクチル、フタル酸ジ -2- エチルヘキシル、ジオクチルフタレート Dioctyl phthalate
代表的な可塑剤

DOSH マレーシア向けリフト・圧力容器の検査 Department of Occupational Safety and Health,in Ministry of Manpower, Malaysia

Dow 【会社名】 ダウ。米国の化学メジャー
Dow Chemical Co.
バスフ、ダウ、バイエル、デュポンが欧米大手 4 社

[関連] BASF, Bayer, Du Pont

DR 需要応答 Demand Response

dPA 【図面記号】 差圧警報計
Differential Pressure Annunciator（Alarm）
[関連] PDA,△ PA

DPC ジフェニルカーボネート Diphenyl Carbonate

DPF ディーゼル排気ガスの有害粒子除去装置 Diesel particulate filter

dPI 【図面記号】 差圧指示計 Differential Pressure Integrator
[関連] PDI,△ PI

dPIA 【図面記号】 差圧指示警報計
Differential Pressure Indicating Annunciator（Alarm）
[関連] PDIA,△ PIA

DPS 自動船位保持システム Dynamic Positioning System

DQ 設計時適格性評価 Design Qualification

DRI 直接還元鉄 Direct Reduced Iron

DRT デジタル検出器による放射線透過検査 Digital Radiographic Testing

DRW'N BY 【図面記号】 製図者 Drawn by

DS ピン式継手 locked Disk Spring

DS （合金） 一方向結晶合金 Directionally Solidified

DSC 示差走査熱量測定 Differential scanning calorimetry

DSDP 深海掘削計画 Deep Sea Drilling Project

DSG 直接蒸気発生集熱器 Direct Steam Generation

DSHC グリーンジェット燃料の製造法 Direct Sugar to Hydrocarbon [関連]FT-SPK, Bio-SPK

DOS 状態密度 Density of states

DSM デザイン・ストラクチャー・マトリクス Design Structure Matrix

DSM 負荷平準化 Demand Side Management

DSME 【会社名】大宇造船海洋 Daewoo Shipbuilding & Marine Engineering Co.,Ltd

DSN'D BY 【図面記号】 設計者 Designed by

DSP 防衛庁仕様書（防衛庁装備局調達補給課）
Defence Specification

DSS 毎日起動・停止を行うこと Daily Start and Stop

DSSS 直接拡散方式 Direct Sequence Spread Spectrum

DTA 示差熱分析 Differential Thermal Analysis

DTM 数値地形モデル Digital Terrain Model DEM と同義
[関連] DEM, DTM

DTW 動的時間伸縮法 Dynamic Time Warping

DUC 掘削済み未完成（井戸） Drilling but UnComplete

Du Pont 【会社名】 デュポン。米国の化学メジャー
E. I. du Pont de Nemours and Company

DUSUP ドバイ供給局 Dubai Supply Authority

DV デコーキングラインのバルブ Decoking Valve

DVC 副学長代理 Dupety Vice Chancellor

DWC 垂直分割型蒸留塔 Dividing-Wall Column

DVC-TBC トップコートの縦割れ Dense Vertically Cracked-TBC [関連]TBC

DWF 【図面形式名】CAD の形式 Design Web Format

dwg 【図面形式名】 一般に 2D-CAD で扱われるバイナリファイル書式

DWG 【配管材料】 図面 Drawing 配管材料共通

DWG NO. 【図面記号】 図番 Drawing Nunmer

DWT 載貨重量トン数 Dead-weight tonnage

DWTT 落重引裂試験 drop weight tear test

DX デジタルトランスフォーメンション Digital Transformation

dxf 【図面形式名】 一般に 2D-CAD で扱われるテキストファイル書式 Drawing Exchange Format

E

-E 【配管材料】電気抵抗溶接 Electric Resistance Welded

E （ELB）【配管材料】エルボ（90°エルボ、45°エルボ）Elbow（90E, 45E）管継手

EaaS エネルギーアズアサービス Energy as a Service

EAB エネルギー吸収体 energy absorber

EAC 完成時総コスト見積り Estimate At Completion

EAC 完了時見込み費用 Estimate At Completion

EAGLE 多目的石炭ガス製造技術開発プロジェクト coal Energy Application for Gas, Liquid and Electricity

EAM 事業資産管理システム Enterprise Asset Management

EB 【化合物】エチルベンゼン ethyl benzene

EBA 欧州バイオガス協会 European Biogas Association

EBITDA 利払い前、税引き前、減価償却前 Earnings Before Interest Taxes Depreciation and Amortization

E-BOM 設計部品表 Engineering Bill of Material

EB-PVD 電子ビーム物理蒸着法 Electron Beam-Physical Vapor Deposition

EBRD 欧州復興開発銀行 European Bank for Reconstruction and Development

EBRV エナジー・ブリッジ型 LNG 船 Energy Bridge Regasification Vessel

EBSD 電子線後方散乱回折法 Electron Backscattered Diffraction

EC エチレンカーボネート Ethylene Carbonate

EC 外面腐食 External Corrosion

EC 電子商取引 Electronic Commerce

EC ヨーロッパ共同体 European Communities

EC 電磁誘導探傷検査（ET）Eddy Current test ［関連］ET, PT, PW, MPT, MT, MC, MY, UT, RT

-E-C 【配管材料】冷間仕上電気抵抗溶接 Electric Resistance Welding Cold

ECA 大気汚染物質排出規制海域 Emission Control Area

ECAA 接着剤・接着評価技術研究会（NPO 法人）Evaluation Committee for Adhesion and Adhesives

ECB 欧州中央銀行 European Central Bank

ECBMR 炭層メタン増進回収技術（Enhanced CBM）Enhanced Coal Bed Methane（Recovery）［関連］EGR, ECBM, EOR, CBM

ECCAS 中部アフリカ諸国経済共同体 Economic Community of Central African States

E&CC エネルギーと気候変動 Energy & Climate Change

ECC/ERE/RE 【配管材料】偏心レデューサ Eccentric Reducer 管継手

ECMM 炭鉱メタン増進回収 Enhanced Coal Mine Methane

ECCJ 省エネルギーセンター（一般財団法人）Energy Conservation Center, Japan

ECCS 非常用炉心冷却装置 Emergency Core Cooling System

ECETOC 欧州化学物質生態毒性及び毒性センター European Center of Ecotoxicology and Toxicology of Chemicals

ECHA 欧州化学物質庁 European Chemicals Agency

ECI 施工者早期参加方式 Early Contractor Involvement

ECOPETROL 【会社名】コロンビア国営石油会社 ECOPETROL S. A.

Ecorr 自然電位、腐食電位、自然腐食電位 E + corrosion ［関連］Icorr

ECOSOC 国際連合経済社会理事会 United Nations Economic and Social Council

ECS 【会社名】EMAS Chiyoda Subsea

ECT 渦電流探傷試験（ET）Eddy Current Testing

ECTFE 【化合物】エチレンクロロトリフルオロエチレン共重合体 Ethylene Chloro Trifuoroethylene

EDA 工学設計活動 Engineering Design Activities

EDA 【化合物】エチレンジアミン Ethylenediamine

EDC 経済負荷配分運転 Economicload Dispatching Control

EDC 二次装置の能力を複雑度に応じて TOPPER 能力に換算した値 Equivalent Distillation Capacity

EDC 【化合物】二塩化エチレン ethylene dichloride

EDD 静電脱塩器 Electro-Dynamic Desalter

EdF フランス電力庁 Electricite de France

EDI 電子データ交換 Electronic Data Interchange

EDIS 地震損傷尺度 Earthquake Damage Intensity Scale

EDR 経済的開発可能資源量 Economic Demonstrated Resources

EDS エネルギー分散型 X 線分光法 Energy Dispersive X-ray Spectroscopy

EDTA【化合物】エチレンジアミン四酢酸 ethylene diamine-tetraacetic acid

EEA 欧州環境庁 European Environment Agency

EEDI エネルギー効率設計指標 Energy Efficiency Design Index

EEG 再生可能エネルギー法（ドイツ）Erneuerbare-Energien-Gesetz

EELS 電子エネルギー損失分光 Electron energy-loss spectroscopy

EEM 励起・蛍光マトリックス Excitation-Emission Matrix

EEOI エネルギー効率運航指標 Energy Efficiency Operational Index

EER エネルギー消費効率 energy efficiency ratio

EEZ 排他的経済水域 Exclusive Economic Zone

EF 電気融着 ElectroFusion

EF 平衡磁場 Equilibrium Field

EFB 空果房 Empty Fruit Bunch

EFC ヨーロッパ腐食連合 European Federation of Corrosion

e.g. 例えば exempli gratia イー・ジー ラテン語英語の "for example"

EG 電気亜鉛鍍金 Elecro Galvanizing

EG 【化合物】エチレングリコール ethylene glycol

EG 【化合物】エンドグルカナーゼ endoglucanase

EGAT 【会社名】タイ国営電力会社 Electricity Generating Authority of Thailand

EGCS 排ガス洗浄装置 Exhaust Gas Cleaning System

EGI 電気めっき鋼 Electro Galvanized Iron

EGPC 【会社名】エジプト国営石油会社 Egyptian General Petroleum Corporation

EGR 排気ガス再循環装置 Exhaust Gas Recirculation

EGR 天然ガス増進回収 Enhanced Gas Recovery ［関連］ECBM, EOR, CBM

EGS 高温岩体地熱発電 Enhanced Geothermal System HDR と同義

-E-H 【配管材料】熱間仕上電気抵抗溶接 Electric Resistance Welding Hot

E+H 【会社名】エンドレスハウザー ジャパン Endress+Hauser Japan Co., Ltd.

EHC 電気油圧式制御装置 Electro Hydraulic Controls

EHG 電子油圧式ガバナ Electro Hydraulic Governor

EHL 【会社名】エッソ・ハイランズ Esso Highlands Limited

EI 英国エネルギー協会 The Energy Institute 旧：英国石油協会と the Institute of Energy が統合

EIA 米国エネルギー情報局 Energy Information Administration

EIAJ STD 日本電子機械工業会規格 Standards of Electronic Industries Association of Japan

EIMS 電気機能材料規格 Electrical Insulating Materials Standard

EIP　社員向け企業内情報ポータルサイト
　　　Enterprise Information Portal
EIS　エンジニアリング情報基準　Engineering　Information
　　　Standard
EJMA　伸縮継手工業会　Expansion Joint Manufacturers
　　　Association
EL　エレクトロルミネセンス　Electro Luminescence
EM　エンジニアリング・マネージャー　Engeneering Manager
EM　緊急保全　Emergency Maintenance
　　　［関連］RBM, CBM, TBM, PM
EM　【航空・宇宙】エンジニアリングモデル Engineering Model
EMAR　電磁超音波共鳴 Electro-Magnetic Acoustic Resonance
EMAS　日本電子材料工業会標準規格
　　　Electronic Materials Manufacturer's Association of Japan
　　　Standard　旧：EMAJ 規格。(社) 電子情報技術産業協会に統合
　　　［関連］JEITA, EIAJ
EMAT　電磁超音波探触子
　　　Electromagnetic Acoustic Transducer
EMC　【会社名】エナジー・マーケット（シンガポール）
　　　Energy Market Co.
EMS　ヨーロッパ震度階級　European macroseismic scale
EMS　エネルギー・マネジメント・システム　Energy
　　　Management System
EMS　環境マネジメントシステム
　　　Environmental Management System
ENAA　エンジニアリング協会 (一般財団法人)
　　　Engineering Advancement Association of Japan
ENAA STD　エンジニアリング振興協会指針
　　　Engineering Advancement Association of Japan
ENAP　【会社名】チリ石油公社　Empresa Nacional del Petróleo
Enc.　同封　Enclosure
EnCana　【会社名】エンカナ　Encana Corporation　カナダ
　　　の天然ガス最大手
ENEOS　【会社名】ENEOS ㈱ Energy、Neos などからなる造語
　　　[関連]JX,NMOC,NOC
EnerGia　【会社名】中国電力。通称「中電」、「中国電」
　　　The Chugoku Electric Power Co., Inc.　エネルギア
ENES　ばく露シナリオに関する意見交換ネットワーク
　　　Exchange Network on Exposure Scenarios
ENG'G　エンジニアリング　Engineering
ENI　【会社名】イタリア炭化水素公社　Ente Nazionale Idrocarburi
ENN　エンジニアリング・ネットワーク　Engineering Network
ENOC　【会社名】UAE 国営石油会社
　　　Emiratcs National Oil Company
ENS　欧州原子力学会　European Nuclear Society
ENV　環境省（日本）　Ministry of the Environment
EO　【化合物】エチレンオキサイド　ethylene oxide
EOG　眼電位図測定法 Electro-oculogram
EOM　以上（終わり）　end of message
EOR　石油増進回収法　Enhanced Oil Recovery
　　　［関連］EGR, ECBM, CBM
EORC【会社名】エスファハン石油精製会社（イラン）
　　　Esfahan Oil Refining Company
EP　【化合物】エポキシ樹脂　Epoxy Resin
EP　探鉱許可 Exploration Permit
E&P　石油天然ガス開発 Exploration & Production
EPA　経済連携協定　Economic Partnership Agreement
EPA　米国環境保護庁　Environment Protection Agency
EPC　設計・調達・建設
　　　Engeneering, Procurement, Construction
EPACA　米国フランクリン研究所開発のプログラム Elastic
　　　Plastic And Creep Analysis
EPC+O&M　計画・設計・建設・運転・保全

Engineering, Procurement, Construction, Operation,
Maintenance
EPCA　欧州石油化学協会
　　　The European Petrochemical Association
EPCI　設計・調達・建設・据付　Engineering, Procurement,
　　　Cosnruction & Installation
EPCIC　設計・調達・建設・据付・試運転
　　　Engineering, Procurement, Cosnruction, Installation &
　　　Commissioning
EPCM　設計・調達・建設・保守
　　　Engeneering, Procurement, Construction & Maintenance
EPCm　設計・調達管理・建設管理
　　　Engeneering, Procurement, Construction Management
EPERC　欧州圧力機器研究会議 European Pressure Equipment
　　　Research Council
EPDM　【化合物】　エチレンプロピレンジエン三元共重合体
　　　（EPM/EPDM）
　　　Ethylene Propylene Diene Methylene Linkage
EPLG　【図面記号】　プラグ止め　Plug End
EPMA　電子線（X 線）マイクロアナライザ
　　　Electron Probe MicroAnalyzer
EPP　【化合物】　発砲ポリプロピレン　Expanded Polypropylene
EPR　エネルギー収支比 Energy Profit（Payback）Ratio
EPRI　拡大生産者責任　Extended Producer Responsibility
EPRI　米国電力中央研究所　Electric Power Reaserch Institute
EPS　一株利益　Earnings Per Share
EPS　【化合物】　発泡ポリスチレン　Expanded Polystyrene
　　　発泡スチロール（foamed styrol）と同意語
EPT　（または EPDM）【化合物】　エチレン・プロピレンゴム
　　　ethylene propylene rubber
ePTFE　延伸 PTFE　Expanded Polytetra Fuluoro Ethylene
EQ　【配管材料】　相当品　Equivalent
EQ　設計段階の品質 Engineering Quality
EQIP、EQP　【図面記号】　機器　Equipment
ER　偏心レジューサ　Eccentric Reducer
ERATO　戦略的創造研究推進事業 Exploratory Research for
　　　Advanced Technology
ERCB　エネルギー資源保護委員会
　　　Energy Resources Conservation Board
ERINA　（公財）環日本海経済研究所 Economic Research
　　　Institute for Northeast Asia
EROEI　エネルギー収支比 Energy Returned on Energy Invested
EROI　エネルギー収支比 Energy Return on Investment
ERP　企業資源計画　Enterprise Resource Planning
ERSDAC　資源・環境観測センター（財団法人）
　　　Earth Remote Sensing Data Analysis Center
　　　宇宙システム開発利用推進機構へ統合
ERU　排出削減単位　Emission Reduction Units
ERW　【配管材料】　電気抵抗溶接　Electric Resistance Welde
ESA　【航空・宇宙】ヨーロッパ宇宙機関 European Space Agency
ESCA　X 線光電子分光 Electron Spectroscopy for Chemical
　　　Analysis
ESCAP　二酸化炭素回収プラント（新日鉄住金エンジニアリン
　　　グ）Energy Saving CO2 Absorption Process [関連]NSENG
ESCC　外面応力腐食割れ External Stress Corrosion Cracking
ESCO　ESCO（エスコ）事業　Energy Service Company
ESD　静電噴霧堆積（法）Electro Spray Deposition(Method)
ESD　電子励起脱離　Electron Stimulated Desorption
ESD　緊急装置停止、緊急遮断　Emergency Shut Down
ESG　環境（Environment）、社会（Social）、ガバナンス
　　　（Governance）
ESO　従業員満足志向 Employee Satisfaction Oriented
ESOP　従業員持株制度　employee stock ownership plan

esp 特に especially
ESP 電動水中ポンプ Electric Submersible Pumps
ESPO 東シベリア・太平洋 Eastern Siberia-Pacific Ocean
ESR エレクトロスラグ溶解炉 Electro-Slag Remelting
ESR 電子スピン共鳴 Electron Spin Resonance
ESS 備蓄放出等緊急時融通スキーム
Emergency Sharing System
ESV 【図面記号】 終点安全弁 End Safety Valve
ESV 【図面記号】 緊急遮断弁 Emergency Shut Valve
ESV 緊急支援船 Emergency Support Vessels
ESW エレクトロスラグ溶接 Electro Slag Welding
ET エンジニアリング技術 Engineering Technology
ET 渦流探傷検査、電磁誘導探傷検査 Eddy Current test
　［関連］EC, PT, PW, MPT, MT, MC, MY, UT, RT
et al. 他 "et alibi (= and elsewhere), et alii (= and others)"
ラテン語
ETA 電子入国許可システム Electronic Travel Authority
ETA 到着予定時刻 Estimated Time of Arrival
　［関連］ETD,ETE
ETAEMR エネルギー鉱物資源省教育訓練庁 (インドネシア)
MINISTRY OF ENERGY AND MINERAL RESOURCES
ETBE エチルターシャリーブチルエーテル
Ethyl Tertiary Butyl Ether
etc. など、等々 et cetera エトセトラ／アンド・ソー・オン
ETD 出発予定時刻 Estimated Time of Departure
ETE 飛行予定時間 Estimated Time Enroute
　［関連］ETD, ETA

ETFE 【化合物】 エチレンテトラフルオロエチレン共重合体
Ethylene Tetrafluoro Ethylene
ETS 排出権取引 Emission Transaction Scheme
ETTO 効率と完璧さのトレードオフ efficiency-thoroughness
trade-off
EU 欧州連合 EUROPEAN UNION
EU-ETS 欧州排出権取引制度
European Union's Emission Trading Scheme
EUR 推定究極資源量 Estimated Ultimate Recovery
EURATOM 欧州原子力共同体
European Atomic Energy Community
EV 電気自動車 Electric Vehicle
eV 【単位】 電子ボルト electron volt
EV エレベーター EleVator
EVA 【化合物】 エチレン酢ビコポリマー
ethylene vinyl acetate copolymer
EWC 【会社名】 Energy World Corporation
EXCO ウツエバルブのバルブ。EXcellent (優秀な)、COmpact
（密度の大きい）に由来
EXIF デジタルカメラ用のフォーマット Exchangeable Image
File Format
EXP 指数関数 exponential function
EXP 輸出 Export
EXW 【契約】 出荷工場渡し条件 Ex Works
売主は、売主の敷地（工場）で買主に商品を移転し、それ以
降の運賃、保険料、リスクの一切は買主が負担する
Exxon Mobil 【会社名】 エクソンモービル（米）
世界最大の石油メジャー Exxon Mobil Corporation

Your Torque Partner

作業性向上！東日の大型プリセット形トルクレンチ。

ラチェットヘッド付
プリセット形トルクレンチ
QLE2 シリーズ
100 ～ 2800N・m までシリーズ 6 機種
・トルク目盛付のプリセット形トルクレンチ。
・設定トルクに達すると「カチン！」で締付完了をお知らせ。

CLE2 にはスパナヘッド
等が取り付け可能！
ヘッド交換式
プリセット形トルクレンチ
CLE2 シリーズ
100 ～ 1200N・m までシリーズ 4 機種
・QLE2 のヘッド交換式。
・CLE2 用の交換ヘッドはスパナやリングなど全 45 種。
標準品でローコスト、管理も簡単。

PHLE2 シリーズ
パイプレンチヘッド付
プリセット形トルクレンチ
250 ～ 1300N・m までシリーズ 2 機種
・スパナヘッドで配管のトルク管理が困難な場合には、
パイプレンチヘッド付の PHLE2 シリーズ。

東日トルク機器総合製品案内2023.03
◆ Web でダウンロードできます◆
「東日トルク機器総合製品案内」は
最新の価格表付きカタログです。
業務で直ぐに役立つと大好評！
「東日トルク講習会」の
2023 年 12 月までの
スケジュールと申込書
も掲載。

Your Torque Partner TOHNICHI

株式会社 東日製作所

株式会社 東日製作所 本社 〒143-0016 東京都大田区大森北2-2-12 TEL:03-3762-2452
https://www.tohnichi.co.jp/

F

F【配管材料】 めす Female

F to F【配管材料】 接続面間 Face to Face

F（℉）【単位】 華氏（ファーレンハイト温度）
F=C*1.8+32 degrees Fahrenheit ［関連］℃, K, deg

FA フィナンシャルアドバイザー Financial Adviser

FA ファクトリーオートメーション Factory Automation

FA フローアシュアランス Flow Assurance

FAA 米連邦航空局 Federal Aviation Administration

FAC 流れ加速型腐食 Flow Accelerated Corrosion

FAO 国際連合食糧農業機関
Food and Agriculture Organization of the United Nations

FAQ よくある質問と回答 Frequently Asked Questions

FAS 日本高圧継手協会規格
Japan High Pressure Fittings Association Standards
日本金属継手協会規格（JPF）に統合 ［関連］JPF

FAS【契約】 船側渡し条件 Free Alongside Ship

FASB 財務会計基準審議会
Financial Accounting Standards Board

FATT 延性破面遷移温度、脆性破面遷移温度 Fracture
Appearance Transition Temperature

FAV 3Dデータフォーマット Fabricatable Voxel

FBH 平底穴 flat bottom hole

FBI 米国連邦捜査局 Federal Bureau of Investigation

FBR 高速増殖炉 Fast Breeder Reactor

FC【化合物】フルオロカーボン Fluorocarbon

FC【図面記号】 最終版 For Construction

FC【図面記号】 異常時全閉 failure Close
動力源が"ゼロ"（絶たれた）とき閉じるバルブ
［関連］FO, FL

FC【図面記号】 流量調節計 Flow Controller

FC コンピュータでのデザイン検証のためのプログラマブル・
ロジック開発用ソフト Function Simulator

FC【JIS鉄鋼】 ねずみ鋳鉄品 Ferrum, Casting JIS G 5501

FC 燃料電池 Fuel Cell ［関連］FCV

FCA【契約】 運送人渡し条件 Free Careeier

FCA 将来腐食代（しろ） Future Corrosion Allowance

FCAW フラックス入りワイヤアーク溶接
Flux Cored Arc Welding
［関連］ARC, MAG, MIG, TIG, GMAW, GTAW, SAW,SMAW

FCB ファーストカットバック First Cut Buck

fcc 両心立方 Face Centered Cubic

FCC 流動床式接触分解 Fluid Catalytic Cracking
VGOを原料とする

FCC 国連邦通信委員会 Federal Communications Commission

FCCC 気候変動に関する国際連合枠組条約
略称「気候変動枠組条約」 ［関連］COP, MOP, UNFCCC, IPCC

FCD ダクタイル鋳鉄 Ferrum Casting Ductile

FCF フリーキャッシュフロー Free Cash Flow

FCFL 燃料電池フォークリフト Fuel cell forklift

FCMB【JIS鉄鋼】 可鍛鋳鉄品／黒心可鍛鋳鉄品
Ferrum, Casting, Malleable, Black JIS G 5705

FCMP【JIS鉄鋼】 可鍛鋳鉄品／パーライト可鍛鋳鉄品
Ferrum, Casting, Malleable, Pearlite JIS G 5705

FCMW【JIS鉄鋼】 可鍛鋳鉄品／白心可鍛鋳鉄品
Ferrum, Casting, Malleable, White JIS G 5705

FCP【配管材料】 フルカップリング Full Coupling 管継手

FCR IT対応のデジタルX線検査（富士フイルム製）
Fuji Computed Radiography

FCS フレームリレーエラー検出方式 Frame Check Sequence
フレームリレーにおいてエラーを検出するためのチェックサ
ムを用いた誤り検出方式

FCV【図面記号】 流量調節弁 Flow Control Valve

FCV 燃料電池自動車 Fuel Cell Vehicle ［関連］FC

FCW フラックス入りワイヤ Flux Cored Wire

FD【図面記号】 炎検知器 Flame Detector

FDA アメリカ食品医薬品局 Food and Drug Administration

FDF 押込み通風機 Forced Draft Fan

FDM 有限差分法 finite difference method

FDMA 総務省消防庁（日本）
Fire and Disaster Management Agency

FDPA 耐火二層管協会 Fire resistive Dual Pipes Association

FEA 有限要素解析 Finite Element Analysis

FEED プラントの基本設計業務
Front-End Engineering Design

FEM 有限要素法 Finite Element Method

FEP【化合物】 テトラフルオロエチレン・ヘキサフルオロプ
ロピレン共重合体（フッ化エチレンプロピレン）
Fluorinated Ethylene Propylene

FEPC 電気事業連合会
The Federation of Electric Power Companies ［関連］JEUS

FERC 連邦エネルギー規制委員会 Federal Energy Regulatory
Commission

FETC ASMEのTechnical委員会の一つ Fabrication and
Examination Technical Committee

FF【化合物】 フラン樹脂 Furan Formaldehyde

FF【図面記号】 フランジシール面（フランジフェイス面）の
形状、全面座、フラットフェース Flat Face
軟質ガスケットを使用、低圧用、相フランジが鋳鉄製の場
合は、全面座を使用しなければならない
［関連］MF, RJ, RF, TG

FF【配管材料】 全面座 Flat (Full) Face フランジ、バルブ

FFB 生果房 Fresh Fruit Bunch

FFD ファーフィールドダイバージョン Far-Field Diversion

FFKM【化合物】 パーフロロゴム

FFP【契約】 完全定額契約 Firm-fixed-price Contract 受注
者のコストに関係なく、契約で取り決めた一定の額を支払う
形態の契約。一括請負契約の1種

FFS 供用適性評価 Fitness For Service

FFT 高速フーリエ変換 Fast Fourier Transform ［関連］DFT

FGD 煙道ガス処理（排煙脱硫等） Flue Gas Treatment

FGR フレアーガス回収 Flare Gas Recovery

FI【図面記号】 流量計、流量検出器 Flow Indicator

FIB 集束イオンビーム Focused ion beam

FIC【図面記号】 流量指示調節計 Flow Indicating Controller

FID 最終投資決定 Final Investment Decision

FIFO 先入先出法 first-in, first-out

FIJ 日本ねじ工業協会規格
The Fasteners Institute of Japan Standards

FIPS 連邦情報処理標準 Federal Information Processing Standards
Publications

FITNET FITness-for-service NETwork

FIT 固定価格買取制度 Feed in Tariff

FIV 流動（乱流）励起振動 Flow Induced Vibration

FKK【会社名】 古林工業㈱

FKM フッ素ゴム（フッ化ビニリデン） Fluorocarbon Rubber

FL【図面記号】 異常時開度保持 failure Lock
動力源が"ゼロ"（絶たれた）ときその直前の開度を保つバ
ルブ ［関連］FC, FO

FL【図面記号】 フランジ Flange

FLAND 公平、妥当かつ差別のないライセンス Fair,
Reasonable And Non-Discriminary

FLG【配管材料】 フランジ Flange ［関連］FL, FLGD

FLGD【配管材料】 フランジ付 Flanged ［関連］FL, FLG

FLIP 動的変形解析 Finite Element Analysis Program of
Liquefaction Process

FLNG フローティングLNG ［関連］FPSO, FSO

FM ファシリティマネジメント Facility Management

FM 米国保険会社の研究機関
Factory Mutual Research Corporation
自社独自の防火規格を制定。アメリカ大企業の9割がこの規
格を採用

FM【航空・宇宙】フライトモデル Flight Model

FMEA 故障モード影響解析。プロセス安全性評価手法の1つ
Failure Mode and Effects Analysis ［関連］HAZOP, FMECA

FMECA 故障モード影響および致命度解析
プロセス安全性評価手法の１つ
Failure Mode Effect and Criticality Analysis
［関連］HAZOP, FMEA
FMS 機能安全管理 Functional Safety Management
FNAL フェルミ国立研究所 Fermi National Accelerator Laboratory
FNN ファジィニューラルネットワーク Fuzzified Neural Networks
FO【図面記号】 異常時全開 failure Open
動力源が"ゼロ"（絶たれた）とき開くバルブ
［関連］FC, FL
FOB【契約】 本船甲板渡し条件 Free On Board
引渡しが積地での船舶への積込みで完了する契約および価格。買い主が船舶の手配、運賃および保険を負担
［関連］DES, CIF, CRF
FOD 光ファイバドップラーセンサ Fiber-Optic Doppler
FOD 損傷を及ぼす可能性のある物品 Foreign Object Damage
FOE 燃料油換算値 Fuel Oil Equivalent
FORM １次近似法、１次信頼性理論、１次近似信頼性理論
First-Order Reliability Method ［関連］SORM
FORTH 厚生労働省検疫所（日本） For Traveler's Health
FP 【契約】 定額契約 Fixed-Price Contract あらかじめ金額を決定する契約の総称。LS と同意語
FPD シャルピ衝撃試験における現象 Fracture Path Deviation
FPD フラットパネルディテクタ Flat Panel Detector
FPEF 【航空・宇宙】流体物理実験装置
Fluid Physics Experiment Facility
FPEPA 【契約】 経済価格調整付き定額契約 Fixed Price
Economic Price Adjustment Contract
FPF【化合物】 軟質ウレタンフォーム
Flexible Polyurethane Foam
FPIF 【契約】 定額インセンティブ・契約
Fixed Price Incentive Fee Contract
FPSO 海上浮体式石油・ガス生産、貯蔵、出荷設備
Floating Production, Storage and Offloading System
［関連］FLNG, FSO
FPV 一人称視点 First Person View [関連]UAV
FQ【図面記号】 積算流量計 Flow Integrator
FRB 米連邦準備制度理事会 Federal Reserve Board
FREA 産総研福島再生可能エネルギー研究所 FUKUSHIMA
RENEWABLE ENERGY INSTITUTE, AIST
FRP フレキシブルライザーパイプ Flexible Riser Pipe
FRP【化合物】 繊維強化プラスチック
Fiber Reinforced Plastic
［関連］FRTP, GFRP, GRE, GRP, GRTP
FRPM 強化プラスチック複合（管）Fiberglass Reinforced
Plastic Mortar（Pipes）
FRPS 強化プラスチック協会規格
The Japan Fiber Reinforced Plastics Standards
［関連］JRPS
FRS 日本ねじ研究協会規格 Fastener Research Standards
FRT 浮き屋根式タンク floating roof tank
FRT フィルムによる放射線透過検査 Film Radiographic
Testing
FRU 浮体式再ガス化設備 Floating Regasification Unit
FRTP【化合物】 ガラス繊維強化熱可塑性樹脂
Fiber Glass Reinforced Thermoplastic
［関連］FRP, GFRP, GRE, GRP, GRTP
FS フィージビリティ・スタディ Feasibility Study
企業化事前調査、事業化可能性調査
FS【化合物】 発泡ポリスチレン foamed polystyrene
FSA 金融庁（日本） Financial Services Agency
FSI 本格的流体－構造連成 Fluid Structure Interaction
FSO 浮体式海洋石油・ガス貯蔵積出設備
Floating Storage and Offloading system
［関連］FLNG, FPSO

FSPPU 浮体式貯蔵・発電設備 Floating Storage and Power
Plant Unit
FSRF 疲労強度低減係数 Fatigue Strength Reduction Factor
FSRU 洋上式貯蔵・気化設備 Floating Storage and Regasification Unit
FSRV 浮体式 LNG 貯蔵・再ガス化船 Floating Storage and
Regasification Vessel
FSRWP 浮体式 LNG 貯蔵再ガス化発電淡水化設備（MODEC）
Floating Storage、Regasification、Water-Desalination &
Power-Generation
FSSC 食品安全マネジメントシステム（FSSC22000）Food
Safety System Certification
FSU 旧ソビエト連邦 former Soviet Union
［関連］CIS、USSR
FSU 浮体貯蔵設備 Floating Storage Unit
FSW 摩擦攪拌接合 Friction Stir Welding
FT フィッシャー・トロプシュ Fischer-Tropsch 一酸化炭素と水素から炭化水素を合成する方法
FT【図面記号】 流量発信器 Flow rate Transmitter
FTA 自由貿易協定 Free Trade Agreement
北米の NAFTA、EU 等
FTA 故障の木解析、故障原因解析 Fault Tree Analysis
FTIPC タイ工業連合、石油化学工業クラブ
Petrochemical Industry Club, Federation of Thai Industries
FTIR フーリエ変換赤外分光光度計 Fourier Transform
Infrared Spectroscopy
FTK【契約】 フルターンキー（設計、調達、工事、試運転一括請負）契約 Full Turn-key Contract
設計・製作から据付・試運転・保証責任までの全てを一式請け負う。鍵を回せば（turn-key）すぐプラントが稼働するような状態まで持っていくことから名前がつけられた
［関連］Lump sum, reimbursable, Semi-turnkey, CPF, CPFF
FTR 【会社名】 ㈱富士テクニカルリサーチ Fuji Technical
Research Inc.

株式会社
富士テクニカルリサーチ
Fuji Technical Research
FTR

〒220-6215
神奈川県横浜市西区みなとみらい2丁目3番5号
クイーンズタワーC 15階
TEL:045-650-6650(代)　FAX:045-650-6653

FT-SPK グリーンジェット燃料の製造法 Fischer Tropsch
Synthetic Paraffinic Kerosene [関連]DSHC、Bio-SPK
FVCO 有限体積群集海洋モデル Finite Volume Community
Ocean Model
FW【図面記号】 消火水 Fir Service Water ［関連］WF
FWA 固定無線通信網 Fixed Wireless Access
FWBS ファンクショナル WBS Functional Work Breakdown
Structure
FWHM 半値全幅 Full Width at Half Maximum
［関連］HWHM
FX 外国為替、外国為替証拠金取引 Foreign eXchange
FY 年度、会計年度 Fiscal Year ［関連］CY
FYI 参考用、お知らせ For Your Information
FZP フレネルゾーンプレート Fresnel zone plate

G

G 【配管材料】JIS 管用平行ねじ Parallel Pipe Threads

G （GSK）【配管材料】 ガスケット Gasket

G7 先進国首脳会議。 Group of Seven アメリカ、イギリス、イタリア、カナダ、ドイツ、日本、フランスの７か国。

G8 Group of Eight G7 ＋ロシア

G20 Group of Twenty アメリカ、イギリス、フランス、ドイツ、日本、イタリア、カナダ、ロシア、中国、韓国、インド、インドネシア、オーストラリア、トルコ、サウジアラビア、南アフリカ、メキシコ、ブラジル、アルゼンチンの 19 ヵ国＋EU

GA 一般配置 general arrangement

GA 合金化溶融亜鉛めっき鋼 Galvannealed Steel

GA 【会社名】ジェネラルアトミクス社 General Atomics

GA 遺伝的アルゴリズム Genetic Algorithm

GAAP 一般に公正妥当と認められた会計原則 generally accepted accounting principles ギャップ

GABA 【化合物】γ - アミノ酪酸 Gamma Amino Butyric Acid

GAFA グーグル、アップル、フェイスブック、アマゾンの 4 社 Google、Apple、Facebook、Amazon

GAH 再生式空気予熱器 Gas Air preHeater

GAIL インド国営ガス会社 Gas Authority of India Limited

gal 【単位】 gallon 1 ガロン＝約 3.8 リットル

GALV 【配管材料】 亜鉛メッキ Galvanized

GAN 敵対的生成ネットワーク Generative Adversarial Network

GAS Google の JavaScript ベース開発環境 Google Apps Script

GB 【単位】 ギガバイト gigabyte

GB 中華人民共和国国家規格 Guo jia Biao zhun

GBS 重力着底型構造物 Gravity Base Structure

GB/T 中華人民共和国 国家標準 / 推薦 Guo jia Biao zhun / Tui Jian, National Standard of the People's Republic of China (Recommended)

GB/Z 中華人民共和国 国家標準化指導性技術書 Guo jia Biao zhun /Zhi Dao ,Technical Guide of National Standardardization of the People's Republic of China

GBL 【化合物】 ガンマブチルラクトン Gamma-Butyrolactone

GBS 重力着底型構造物 Gravity Base Structure

GC 【図面記号】 ガスクロマトグラフ。略称「ガスクロ」 Gas Chromatograph ガスの混合成分比率を分析する装置

GCC 湾岸協力会議 Gulf Cooperation Council ペルシャ湾アラブ君主制 6 カ国が 1981 年に結成した地域協力機構。サウジアラビア、クウェート、アラブ首長国連邦、カタール、オマーン、バーレーン ［関連］MENA

GCCSI 世界 CCS 研究所 Global CCS Institute ［関連］CCS

GCD 最大公約数 Greatest Common Divisor

GCF 最大公約数 Greatest Common Factor

GCM 最大公約数 Greatest Common Measure

GCR ガス冷却炉 Gas-Cooled Reactor

GCU LNG 燃料船向けガス燃焼ユニット Gas Combustion Unit

GD ガスデポジション （法）Gas Deposition

GDE 国内総支出 gross domestic income

GDF 【会社名】 フランスガス公社 Gaz de France

GDI 国内総所得 Gross Domestic Income

GD-OES グロー放電発光分光分析法 Glow Discharge-Optical Emission Spectroscopy

GDP 国内総生産 Gross Domestic Product

GE 【会社名】 ゼネラル・エレクトリック General Electric Company

GECF ガス輸出国フォーラム Gas Exporting Countries Forum

GEIDCO グローバル・エネルギー・インターコネクション発展協力機構 Global Energy Interconnection Development and Cooperation Organization

GES ガス抽出装置 Gas Extraction System [関連]GRS

GFC 【会社名】 General Fertilizer Company シリアの化学肥料工場

GFF 一般破損発生頻度 Generic Failure Frequency

GEP ガス輸送パイプライン Gas Export Pipeline

GFPP ガラス繊維強化ポリプロピレン glass fiber reinforced polypropylene

GFRP ガラス繊維強化プラスチック Glass Fiber Reinforced Plastics

GG 政府間取引 Government to Government Deal 原油の政府間取引 GG 原油 : government to government crude oil （政府間取引原油）

GGFR 地球のフレアー・ガス削減パートナーシップ Global Gas Flaring Reduction （Public-Private Partnership）

GHG 温室効果ガス Green-House Gas

GHP 地中熱ヒートポンプ Geothermal Heat Pump

GHP ガスヒートポンプエアコン Gas Heat Pump, Gas engine driven Heat Pump

GHS 化学品の分類及び表示に関する世界調和システム Globally Harmonized System of Classification and Labelling of Chemicals

GI 溶融亜鉛めっき鋼 Galvanized Iron

gif 【図面形式名】 画像ファイルの一種 Graphic Interchange Format

GIIGNL 国際 LNG 輸入事業者グループ International Group of Liquefied Natural Gas Importers

GIS 地理情報システム Geographic Information System

GIS 研削砥石工業会規格 Japan Grinding Wheel Association Industrial Standard

GL ガルバリウム鋼 Galvalume Steel

GL 【図面記号】 地盤の高さ水準を表す単位 Ground Level ［関連］AP, TP, KP

GLC 気液接触器 Gas Liquid Contactor

GLONASS 衛星測位システム (露) Global Navigation Satellite System

GLV 【配管材料】 玉形弁 Globe Valve バルブ

GM ゼネラルマネージャー General Manager

GM 【航空・宇宙】地上実験装置 Ground Model

GMAW ガスシールドアーク溶接 Gas Metal Arc Welding

GMO 遺伝子組換え組織。遺伝子組換え食品 Genetically Modified Organism

GMP 適正製造基準 Good Manufacturing Practice 薬事法に基づく医薬品等の製造管理及び品質管理規則

GMRP 人工大運河計画 Great Man-Made River Project リビアの国家最優先事業

GNE 国民総支出 gross national expenditure

GNEP 国際原子力パートナーシップ Global Nuclear Energy Partnership

GNF 【会社名】 ガス・ナチュラル・フェノサ（スペイン） Gas Natural SDG, S.A.

GNI 国民総所得 Gross National Income

GNL 【会社名】イタリア ENI の子会社 gas naturale liquefatto

GNP 国民総生産 Gross National Product

GNSS 汎地球測位航法衛星システム Global Navigation Satellite System

GO 【化合物】 軽油 Gas Oil

GOST, GOST-R ロシア国家規格 Gosstandart of Russia State Committee of the Russian Federation for Standardization and Metrology

GP Exxonmobil の設計基準書 Global Practice

GP グランドパルプ Ground Pulp

GPAT【化合物】 グリセロール３リン酸アシル基転移酵素
　Glycerol-3-Phosphate Acyltransferase
GPCA 湾岸石化・化学協会
　Gulf Petrochemicals and Chemicals Association
GPCC ガス価格収斂ケース Gas Price Convergence Case
GPE グリーンプロセス工学 Green Process Engineering
GPI GPI協会 Global Petroleum Institute
GPPS【化合物】 一般用ポリスチレン
　general purpose polystyrene
GPS 全地球測位システム Global Positioning System
GPS/JIPS グローバルプロダクト戦略を基本とした日化協の
　取組 Global Product Strategy/Japan Initiative of Product
　Stewardship
GPU 画像処理装置 Graphic Processing Unit
Gr.【配管材料】 等級 Grade
GRAND GRAND運河計画
　Great Recycling and Northern Development
GRE【化合物】 ガラス繊維強化樹脂
　Glassfiber Reinforced Epoxy
GRP【化合物】 ガラス繊維強化プラスチック
　Glass Fiber Reinforced Plastic
GRS ガス抽出装置 Gas Removal System [関連]GES
GRTP【化合物】 ガラス繊維強化熱可塑性樹脂
　Glass Fiber Reinforced Thermoplastic
GS スイスの非営利ゴールドスタンダード財団 Gold Standard
G/S ゲートウエイステーション Gateway Station
GSC グリーン・サステイナブル ケミストリー
　Green Sustainable Chemistry
GSC カナダ地質調査所 Geological Survey of Canada
GSEP エネルギー効率向上に関する国際パートナーシップ
　Global Superior Energy Performance Partnership

GSHP 地中熱ヒートポンプ Ground Source Heat Pumps
GSI 巨大規模集積回路 giant scale integration
GSP 政府販売価格 Government Selling Price
GSP 特恵関税制度 Generalized System of Preferences
GST 物品サービス税。日本の消費税に当たる
　Goods and Service Tax 日本の消費税は consumption tax
GSV グローバルスタンダードバルブ Global Standard Valve
GT ガスタービン Gas Turbine
GTAW TIG溶接 Gas Tungsten Arc Welding
GTCC ガスタービン複合発電 Gas Turbine Combined Cycle
GTFC ガスタービン燃料電池複合発電 Gas Turbine Fuel Cell
　combined cycle
GTG ガスタービン発電機 Gas Tarbine Generator
GTG 天然ガスを原料としてガソリンを製造するプロセスおよ
　び製品の総称 Gas To Gasoline GTLの一種
GTI ガス技術研究所（米国）Gas Research Institute
GTL 天然ガスを原料として液体燃料を製造するプロセスおよ
　び製品の総称 Gas to Liquid
GTS ガス輸送システム Gas Transmission System
GTV【配管材料】 仕切弁 Gate Valve バルブ
GTW 天然ガス採掘サイトで発電し、電力として供給
　Gas to Wire
GUI グラフィカルユーザーインターフェイス Graphical User
　Interface
GWEC 世界風力会議 Global Wind Energy Council
GWP 地球温暖化係数 Global Warming Potential
GWRA 海外水循環システム協議会
　Global Water Recycle and Reuse System Association
GWSTA 海外水循環ソリューション技術研究組合 Global
　Water Recycling and Reuse Solution Technology Research
　Association

建築設備と配管工事

定価2,300円（本体2,091円＋税10%）／年間購読料・年14冊28,000円（税込）

50年の歴史をもつ、空調、給排水衛生、電気、特殊設備等の専門技術誌です。大型建物、一般ビル、学校、空港、ホテル、病院、劇場、工場、食品・薬品製造、クリーンルーム、研究施設、商業ビル、集合住宅、また地域冷暖房を含む都市設備など、システムから材料、機器、設計・施工、運転・保守、設備更新、エネルギー面まで、設備に関する総合技術を多角的にとりあげ、設備技術者に実際に役立つ情報を提供します。

購読のお申し込みは フリーコール **0120-974-250**
https://www.nikko-pb.co.jp/
日本工業出版㈱ 販売課
〒113-8610 東京都文京区本駒込6-3-26 TEL. 03-3944-8001 FAX. 03-3944-6826
E-mail：sale@nikko-pb.co.jp

H

H　【図面記号】（警報計と共に用いて）高警報　High
計装用記号は JIS Z 8204 に規格あり

H　鉛筆の濃さの一つ　Hard　［関連］F, HB, B

H　【配管材料】　高さ　Hight　配管材料共通

H_2　【化合物】　水素　Hydogen

HA　危害分析　Hazard Analysis　HACCP 関連用語

HACCP　危害分析重要管理点
Hazard Analysis Critical Control Point
ハセップ／ハシップ／ハサップ　食品の危害分析（HA）と
重要管理点（CCP）を組み合わせた食品の生産工程の衛生お
よび品質管理方式　［関連］HA, CCP, GMP, SSOP

HAM　吸気加湿装置　Humid Air Motor

HAPs　有害大気汚染物質　Hazardous Air Pollutants

HART　工業センサ用通信プロトコルの一種
Highway Addressable Remote Transducer
HCF（HART Communication Foundation）が推奨する工業セ
ンサ用通信プロトコルの名称

HASS　空気調和・衛生工学会規格（現 SHASE）
Heating Air-conditioning and Sanitary Standard

HAZ　熱影響部　Heat-Affected Zone

HAZID　想定災害の同定　Hazard Identification

HAZOP　プロセス安全性評価手法の一つ
Hazard and Operability Study　ハゾップ
流量、圧力、温度等の増減を想定し、原因、影響、安全策の
妥当性を評価する　［関連］FMEA, FMECA

HB　ハーバー・ボッシュ法　Haber–Bosch (process)

HB　鉛筆の濃さの一つ　Hard Black　［関連］H, F, B

HB　【会社名】HB 社 HoloBuilder Inc.

HB　ヒートバランス　Heat Balance

HBI　ホットブリケットアイロン　Hot Briquetted Iron

HBN【配管材料】　ブリネル硬度番号
Brinell Hardness Number　配管材料共通

HC　【化合物】　炭化水素　Hydro Carbon

HCA　高度警戒地域　High Consequence Area

HCERI　華能集団クリーンエネルギー技術研究院（中国）
Huaneng Clean Energy Research Institute

HCF　最大公約数　Highest Common Factor

HCFC　【化合物】ハイドロクロロフルオロカーボン
Hydrochlorofluorocarbon

HCP　密六方格子 hexagonal close-packed structure

HCU　水素化分解装置　Hydrocracking Unit

HD　持株会社　Holdings

HDD　水平削孔機 Horizontal Directional Drilling

HDDM　階層型領域分割法

Hierarchical Domain Decomposition Method

HDPE　【化合物】　高密度ポリエチレン
High Density Polyethylene

HDR　高温岩体地熱発電 hot dry rock geothermal power　EGS
と同義

HDS　脱硫装置（プロセス）hydrodesulfurization

HDS　日立造船式ゼオライト膜脱水システム Hitz Dehydration
System

HE　水素脆化 Hydrogen Embrittlement

HEAT TRT　【図面記号】　熱処理　Heat Treatment

HEE　水素環境脆化 Hydrogen Environment Embrittlement

HEI　【規格】米熱交換器協会規格 Heat Exchange Institute

HELE　高効率低排出　high-efficiency low-emission

HEML　高効率マルチ・レス（燃料電池）High Efficiency Multi
Less（Fuel Cells）

HEPCO【会社名】北海道電力。通称「北電」、「道電」
Hokkaido Electric Power Co., Inc.

HEWC　高濃縮高レベル廃液
High Enriched Waste Concentrate

HFC　【化合物】ハイドロフルオロカーボン Hydrofluorocarbon

HFO　【化合物】ハイドロフルオロオレフィン　hydro fluoro
olefin

HFO　舶用残渣油、バンカー (残渣) 油、C 重油 Heavy Fuel Oil

HFS　【配管材料】　ステライト溶着（表面硬化処理）
Hard facing by Stellite　バルブ

HGI　ハードグローブ指数　HardgroveGrindabilityIndex

HGO　【化合物】　重質軽油　Heavy Gas Oil

HH　【図面記号】（警報計と共に用いて）異常高警報
High High

HH　ヘンリー・ハブ Henry Hub

HHD　ハンドヘルドディスプレイ Hand Held Display

HHI　ハーフィンダール・ヒルシュマン指数 Herfindahl-
Hirschman Index

HHV　高位発熱量　Higher Heating Value
ガスの燃焼時に発生する水分の蒸発潜熱を含んだ熱量
［関連］LHV

HIC　水素誘起割れ　Hydrogen Induced Cracking

HIDiC　内部熱交換型蒸留塔 Heat Intergrated Distillation Column

HIP　熱間等方圧加圧法　Hot Isostatic Pressing

HIPPS　高度圧力保護システム　High Integrity Pressure
Protection System

HIPS　【化合物】　耐衝撃性ポリスチレン
High Impact Polystyrene

HI-PVC　耐衝撃性硬質ポリ塩化ビニル　High Impact
Resistance Unplasticized Polyvinyl Chloride

Hi-Reff　高レイノルズ数実流試験設備 High Reynolds Number

バタ弁の実力

バタ弁の実力
https://www.tomoevalve.com/lp/jitsuryoku/

TOMOE

＜ゲート弁・グローブ弁・ボール弁の困った！＞
バタ弁でその問題解決します
・シール性が高くメンテナンスも簡単なバルブが欲しい…
・もっと耐久性が高く安全なバルブに変えたい…
・流体の固着を防げるバルブが欲しい…
・不具合が生じないよう細かなカスタマイズがしたい…

巴バルブ株式会社　詳細はホームページをご覧いただくか、弊社営業にご連絡ください。
東京：03-5721-7772　大阪：06-6110-2101

Actual Flow Facility

Hitz 【会社名】 日立造船㈱ Hitachi Zosen Corporation

HLAC 高次局所自己相関特徴量 Higher-order Local AutoCorrelation

HLB 親油性と親水性のバランス Hydrophilic-Lipophilic Balance

HLMD 保存則と拘束記述に基づく物理モデリング High Level Model Description

HLW 高レベル放射性廃棄物 High-Level Radioactive Waste

HM LCN モジュールの一つ Historical Module

HMD ヘッドマウントディスプレイ Head Mounted Display

HMI コンピュータと人の間でのコミュニケーション方法 Human Machine Interface

hnap 【化合物】 ヘビーナフサ heavy naphtha

HNBR 【化合物】 水素化 NBR Hydrogenated nitrile rubber

HNS 高窒素ステンレス鋼 High nitrogen-bearing stainless steels

HOA 【契約】基本合意書 Heads of Agreement

HOMO 最高被占軌道 Highest Occupied Molecular Orbital

HOTT 高温ガスケット漏洩試験 Hot Operational Tightness Test

HP 【会社名】ハイドロパック Hydro-Pac.inc

HP 【配管材料】 高圧 High Pressure 配管材料共通

HP Hydrocarbon Processing 誌（Gulf Publishing Company LLC.）

HP-ABWR 高性能 ABWR、次世代 BWR High Performance ABWR

HPCS 高圧炉心スプレイ系 High Pressure Core Spray System

HPF 多段切替アナログハイパスフィルタユニット High-pass filter

HPGSL 高圧ガス保安法 High Pressure Gas Safety Law

HPHT 高圧高温 High Pressure High Temperature

HPI 日本高圧力技術協会（一般社団法人） High Pressure Institute of Japan

HPO バイオオイルを水素化処理して製造される燃料 Hydrogenated Pyrolysis Oil

HPP 高圧ポンプ high-Pressure Pump

HPPE 高性能ポリエチレン Higher Performance polyethylene

HPIS 日本高圧力技術協会規格 High Pressure Institute Standards

HPU 水素製造装置 Hydrogen Production Unit 水蒸気改質反応で水素を製造する装置

HQCEC 【会社】 中国寰球工程公司 CHINAHUANQIU CONTRACTING & ENGINEERING CORP.

hr、hrs 【単位】 時間 hour（s） [関連] min, sec

HR 熱延鋼（板） Hot Rolled Steel

HRP 【化合物】ペロオキシダーゼ Horseradish Peroxidase

HRS 熱回収システム Heat Recovery System

HRSG 排熱回収ボイラ Heat Recovery Steam Generator

HRVOC 高反応性揮発性有機化合物 Highly Reactive Volatile Organic Compounds

HS 高硫黄 High Sulfur

HS 油圧防振器 Hydraulic Snubber

HSA 重油 JIS の A 重油 1 種 2 号 高硫黄 A 重油 High Sulfur A Fuel Oil

HSE 安全衛生環境 Health Safety and Environment 労働安全衛生および環境 HSE マネジメントシステムには ISO14001 および OHSAS18001（労働安全衛生マネジメントシステム）がある [関連] HS&E, SHE

HSEIA Health, Safety and Environmental Impact Assessment

HSLA 低合金高強度鋼、高張力低合金鋼、高強度低合金鋼、HSLA 鋼 high strength low alloy steel

HSR 【化合物】 重質直留ガソリン Heavy Straight Run Naphtha

HSS 熱安定性塩 Heat Stable Salt

HST 高温超伝導体 High-temperature superconductor

HSZ メタンハイドレート安定領域 Hydrate Stability Zone

HT ハイドロタルサイト Hydrotalcite

HTR 高温ガス炉 High Temperture Reactor

HTRI 熱輸送研究協会 Heat Transfer Research, Inc.

HTS 溶融塩 Heat Transfer Salt

HTS 高温超伝導 High Temperature Superconductor

HTTR 高温工学試験研究炉 High Temperature engineering Test Reactor

HV ハイブリッド車 Hybrid Vehicle

HV ビッカース硬さ Vickers hardness

HVAC 暖房・換気・空調 Heating, Ventilation & Air-conditioning

HVAF 高速フレーム溶射（圧縮空気と燃料） high velocity air fuel

HVDC 高圧直流送電 High Voltage Direct Current

HVOF 高速フレーム溶射（酸素と燃料） high velocity oxy-fuel

HVGO 【化合物】 重質減圧軽油 Heavy Vacuum Gas Oil

HVI 【会社名】 平田バルブ工業㈱ Hirata valve Industry Co.,Ltd.

平田バルブ工業株式会社
〒213-0011
神奈川県川崎市高津区久本3-2-3
☎ (044) 833-2311 (代)
http://www.hvi.co.jp/

HVOF 高速フレーム溶射 High Velocity Oxy-Fuel

HWGCR 重水減速ガス冷却炉 Heavy Water Gas-Cooled Reactor

HWHM 半値半幅 Half Width at Half Maximum [関連] FWHM

HWL 高水位 Hight Water Level

HWR 重水炉 Heavy Water Reactor 重水（D_2O）を減速材としてもちいる原子炉

HWT 熱水改質法 Hot Water Treating 石炭改質方法の 1 つ。

HxGN【会社名】ヘキサゴン（測定器世界最大手）HEXAGON AB

HySUT 水素供給利用技術協会 The Association of Hydrogen Supply and Utilization Technology

HyTReC 水素エネルギー製品研究試験センター Hydrogen Energy Test and Research Center

HZI 【会社名】 Hitachi Zosen Inova 日立造船のスイス子会社

I

IA　計装用空気　Instrument Air　［関連］AI, IA

IaaS　イァース Infrastructure as a Service

IACS　国際船級協会連合　International Association of Classification Societies

IAEA　国際原子力機関　International Atomic Energy Agency

IAPH　国際港湾協会　The International Association of Ports and Harbors

IAPP　国際大気汚染防止証書 International Air Pollution Prevention Certificate

IAPWS　国際水・蒸気性質協会 International Association for the Properties of Water and Steam

IAT　国際原子時。TAI とも呼ばれる
International Atomic Time　［関連］JST, UT, UTC, TAI

IATA 国際航空運送協会 International Air Transport Association

IATE　界面積濃度輸送方程式　Interfacial Area Transport Equation

IB【図面記号】　差閉止板　Insert Blind

IBC　中型物流容器　Intermediate Bulk Container

IBC　IBC コード International Bulk Chemical

IBM【会社名】　IBM 社　International Business Machines

IBR　インドボイラー規格 Indian Boiler Regulation

IBRD　国際復興開発銀行
the International Bank for Reconstruction and Development

IC　内部循環 (リアクタ) Internal Circulation

IC　集中講座（講義）　Intensive Course

IC　非常用復水器 Reactor Core Isolation Cooling Condenser

ICAO 国際民間航空機関 International Civil Aviation Organization

ICCA　国際化学工業協会協議会
International Council of Chemical Association

ICCM　国際化学物質管理会議
International Conference on Chemicals Management

ICCT　クリーン輸送に係る国際評議会 International Council on Clean Transportation

ICDP　国際陸上科学掘削プログラム　International Continental Scientific Drilling Program

ICE　内燃機関 Internal-Combustion Engine

ICEP　石油開発情報センター
Information Center for Petroleum Exploration and Production

ICES　化学工学研究所（シンガポール）Institute of Chemical and Engineering Sciences

ICFB　内部循環流動床ボイラ
Internal Circulating Fluidized-bed Boiler　ICFBC と同義

ICFBC　内部循環流動床ボイラ
Internal Circulating Fluidized-bed Combustion　ICFB と同義

ICJ　国際司法裁判所／国際法律家委員会
International Court of Justice ／ International Commision of Jurists

ico【図面形式名】　Icon 用ファイル

ICOM　入力、制御、出力、機構 Input, Control, Output, and Mechanism

Icorr　腐食電流、腐食電流密度　I + corrosion
［関連］Ecorr

ICP　誘導結合プラズマ Inductively Coupled Plasma

ICP-MS 誘導結合プラズマ質量分析（装置）
Inductively Coupled Plasma-Mass Spectrometry

ICS　産業用制御システム Industrial Control System

ICSID　国際投資紛争解決センター
International Centre for Settlement of Investment Disputes

ICT　情報通信技術
Information and Communication（s）Technology

ID【配管材料】　内径　Inside（Inner）Diameter
［関連］OD, DIA

IDA　国際開発協会　International Development Association

IDAS　ダイヤモンド工業協会規格
Japanese Industrial Diamond Association Standard

IDDP　アイスランドの大深度高温域への掘削プロジェクト
Iceland Deep Drilling Project

IDE　統合開発環境 Integrated Development Environment

IDEF0　機能モデリングのための統合化定義 Integration DEFinition for function

IDF　誘引（吸い込み）通風機 Induced Draft Fan

IDF　CAD の形式 Intermediate Data Format

IDF　国際酪農規格（廃止）International Dairy Federation

IDT　規格と一致している　identical

i.e.　即ち　id est　アイ・イー　ラテン語。英語の "that is"

IEA　国際エネルギー機関　International Energy Agency

IEC　国際電気標準会議
Internaitonal Electrotechnical Commission

IECEE　IEC 電気機器安全規格適合試験制度 IEC System for Conformity Testing to Standards for Safety of Electrical Equipment

IECEx　IEC 防爆機器規格適合性認証制度 IEC System for Certification to Standards Relating to Equipment for use in Explosive Aomospheres

IECQ　IEC 電子部品品質認証制度 IEC Quality Assessment System for Electronic Components

IECRE　IEC 再生エネルギー機器規格試験認証制度 IEC System for Certification to Standards Relating to Equipment for Use in Renewable Energy Applications

IED 即席爆発装置 Improvised Explosive Device

IEEE　米国電気電子学会規格
Institute of Electrical and Electronics Engineers, Inc.
アイトリプルイー

IEEJ　電気学会
The Institute of Electrical Engineers of Japan
［関連］JEC

IEEJ　日本エネルギー経済研究所
The Institute of Energy Economics, Japan

IEO　世界エネルギー長期展望 (EIA) International Energy Outlook

IETA　国際排出量取引協会 International Emissions Trading Association

IFA　P & ID 等出図のタイミング　Issue For Approval

IFC　国際金融公社　International Finance Corporation

IFC　P & ID 等出図のタイミング　Issue For Construction

IFC【図面形式名】　建築業界で使われるファイル形式
Industry Foundation Classes

IFCO　Iranian Fuel Conservation Organization

IFD　P & ID 等出図のタイミング　Issue For Design

IFH　P & ID 等出図のタイミング　Issue For HAZOP

IFIs　国際金融機関の総称　International Financial Institutions

IFO　中間燃料油 Intermediate Fuel Oil

IFR　P&ID 等出図のタイミング　Issue For Review

IFR　故障率増加型 Increasing Failure Rate

IFV　中間熱媒体式気化器 Intermediate Fluid Vaporisation Process

IGA　国際地熱協会 International Geothermal Association

IGBC【会社名】　イラク LPG 充填所運営会社
Iraq Gas Bottling Co.

IGBT　絶縁ゲートバイポーラトランジスタ
Insulated Gate Bipolar Transistor

IGCC　ガス化複合発電

Integrated Gasification Combined Cycle
アスファルト、石炭などのガス化とコンバインドサイクル発電を組み合わせた発電　［関連］IGFC, A-IGCC

IGES　CAD で使用する中間ファイル Initial Graphics Exchange Specification

IGES　地球環境戦略研究機関
　Institute for Global Environmental Strategies

IGFC　石炭ガス化燃料電池複合発電
　Integrated coal Gasification Fuel Cell combined cycle
　［関連］IGCC, A-IGCC

igs【図面形式名】　図形記録フォーマットの一種
　Initial Graphics Exchange Specification

IGSCC　粒界型応力腐食割れ Intergranular Stress Corrosion Cracking

IGU　国際ガス連盟 International Gas Union

IH　高周波誘導加熱 induction heating

IHI【会社名】　㈱IHI　Ishikawajima-Harima Heavy Industries Co., Ltd.　旧社名；石川島播磨重工業

I.I.　イメージインテンシファイア　Image Intensifier

IIC【会社名】　㈱IHI 検査計測
　Ishikawajima Inspection & Instrumentation Co., Ltd.

IIIT　インド情報技術大学 India Institue of Information Technology

IIoT　Industrial Internet of Things [関連]IoT

IIR【化合物】　ブチルゴム　butyl rubber

IIS【会社名】㈱IHI インフラシステム IHI Infrastructure Systems

IIT　インド工科大学 Indian Institutes of Technology

IIW　国際溶接学会　International Institute of Welding

IJC　国際合同委員会　International Joint Commission
　五大湖の問題解決のための米国とカナダとの委員会

ILC　国際リニアコライダー　International Linear Collider

ILM【会社名】　㈱IHI 物流産業システム　IHI Logistics & Machinery

ILM　情報ライフサイクル管理
　Information Lifecycle Management
　データの生成・提供・活用・保護・消去の各段階に応じて、適切な管理を行う手法

ILO　国際労働機関　International Labour Organization

ILSVR　画像認識の競技会 ImageNet Large Scale Visual Recognition

IMD　国際経営開発研究所　International Institute for Management Development　スイスのビジネススクール。国際競争力ランキングが有名

IMF　国際通貨基金　International Monetary Fund

IMO　国際海事機関　International Maritime Organization

ImPACT　革新的研究開発推進プログラム　Implusing Paradigm Change through Disruptive Technologies Program

IMU　慣性計測装置 inertial measurement unit

Inc.　株式会社　Incorporated

INPEX【会社名】　国際石油開発帝石　INPEX Corporation
　2008 年、国際石油開発帝石ホールディングスが国際石油開発、帝国石油を吸収合併

INS【会社名】㈱一ノ瀬　ICHINOSE Co., Ltd.

INSL.【図面記号】　断熱（保温、保冷、耐火）　Insulation
　［関連］Insul

INSP【図面記号】　検査　Inspection

INST【図面記号】　計装（品）　Instrument

INSTRAW　国際連合婦人調査訓練研修所
　International Research and Training Institute for the Advancement of Women

Insul【図面記号】　保温・保冷　Insulation　［関連］Insul

IO　入出力　Input ／ Output　アイオー　［関連］AIO, DIO

IOAS　LCN モジュールの一つ。主に DCS ネットワークと情報系ネットワークとのインターフェイスとして使用
　Open Application Station

IOCL【会社名】インド国営石油公社 Indian Oil Corporation Limited

IODP　統合国際深海掘削 Integrated Ocean Drilling Program

IOGP　国際石油・天然ガス生産者協会 International Association of　Oil and Gas Producers

IOR【配管材料】　内外輪　Inner&Outer Ring　ガスケット

IoT　モノのインターネット　Internet of Things[関連]IIoT

IoU　領域の共通部分 Intersect over Union

IOUS　LCN モジュールの一つ。制御システムのマン・マシン・インターフェイスとして使用される　IO Universal Station

IP　英国石油協会（学会）規格　The Institute of Petroleum
　英国石油協会は the Institute of Energy と統合し、英国エネルギー協会（EI；The Energy Institute）に改組　［関連］EI

IP　知的財産権。略称「知財」
　特許権、著作権、商標権などの総称　Intellectual Property

IP　インターネット・プロトコル　Internet Protocol

IP　イメージングプレート　Imaging Plate

IPA【化合物】　イソプロパノール　isopropanol

IPA　情報処理推進機構 Information-technology Promotion Agency

IPC　プロセス計装制御技術協会
　Instrumentation & Process Control Engineer's Association

IPC【会社名】　IHI プラント㈱　2019 年 IHI プラント建設、IHI プラントエンジニアリング、IHI プロセスプラント SBU が統合　IHI Plant Services Corporation

IPCC　気候変動に関する政府間パネル
　Intergovemmental Panel on Climate Change

IPE　国際石油取引所　International Petroleum Exchange

IPEC【会社名】　旧㈱IHI プラントエンジニアリング　IHI Plant Engineering Corporation

IPEEC　国際省エネ協力パートナーシップ
　International Partnership for Energy Efficiency Cooperation

IPF　氷充てん率　Ice Packing Factor
　氷蓄熱システム用語（JIS B 8624）　［関連］COP, APF

IPIC　国際石油投資会社（アブダビ）International Petroleum Investment Company

IP Handling　アイ・ピー・ハンドリング
　Identity Preserved Handling

IPIF　石油化学工業団体の国際的な情報交換会議
　International Petrochemical Information Forum

IPLV　期間成績係数（空調）　Integrated Part Load Value

IPP　独立発電事業者　Independent Power Producer

IPR　知的財産権。略称「知財」　Intellectual Property Rights
　特許、著作権、商標等の知的財産に係る権利

IPS【会社名】㈱IHI 原動機 IHI Power Systems

iPS(細胞)　人工多能性幹細胞 induced pluripotent stem cell

IPT　包囲型投影技術 Immersive Projection Technology

IQ　据付時適格性評価 Installation Qualification

IQ　知能指数　Intelligence Quotient

IR【化合物】　イソプレンゴム　Isoprene Rubber

IR　赤外線　infrared rays　［関連］UV

IR　投資家向け広報活動　Investor Relations

IR【配管材料】　内輪　Inner Ring

IRC　国際赤十字社　International Red Cross

IRENA　国際再生可能エネルギー機関 International Renewable Energy Agency

IRI　産業創造研究所
　Institute of Research and Innovation 2007 年解散

IRID　国際廃炉研究開発機構 International Research Institute for Nuclear Decommissioning

IRPA　ある特定の職種の個人が１年間に致命的災害にあう確率　Individual Risk Per Annum

IRR　内部利益率　Internal Rate of Return　［関連］NPV

IS　インド規格　Indian Standard

ISA　オプションボード用バス
Industry Standard Architecture

ISA　国際計測制御学会
Instrumentation Systems and Automation Society

ISBL　オンサイト　InSide of Battery Limit

ISCC　太陽熱複合サイクル発電 Integrated Solar Combined Cycle

ISCE2　化学・エネルギー環境持続可能性研究所 (シンガポール) Institute of Sustainability for Chemicals, Energy and Environment

ISECG【航空・宇宙】国際宇宙探査協働グループ International Space Exploration Coordination Group

ISI　供用期間中検査　In service inspection

ISIJ　日本鉄鋼協会技術指針
The Iron and Steel Institute of Japan

ISM　統計数理研究所 The Institute of Statistical Mathematics

ISMS　情報マネジメントシステム
Information security management systems

ISNS【配管材料】内ねじ・ステム非上昇式
Inside Screw & Non-Rising Stem　　バルブ

ISO　国際標準化機構、国際標準（IS）
International Organization for Standardization
アイソ、アイエスオー
代表的な国際標準化機構、国家規格機関の世界的連盟、国際電気標準会議（IEC；電気）、国際電気通信連合（ITU；通信）以外の全分野を対象

ISO　鳥瞰図。スプール図　Isometric Drawing
アイソ、アイソメ　［関連］SPOOL

ISP　インターネット接続業者。インターネットサービスプロバイダ　Internet Survice Provider

ISPE　国際製薬技術協会
International Society for Pharmaceutical Engineering

ISRS【配管材料】内ねじ・ステム上昇式
Inside Screw & Rising Stem

ISS　国際海藻シンポジウム
International Seaweed Symposium

ISS【配管材料】内ねじ　Inside Screw

ISS【航空・宇宙】国際宇宙ステーション
International Space Station

IT　情報技術　Information Technology

ITB【契約】入札要請、（エンドユーザーからの）引合仕様書
Invitation to Bid
狭義には引合仕様書冒頭の部分。広義には引合仕様書全体を指す

ITC　国際貿易センター　International Trade Centre

ITC　投資税額控除制度 Investment Tax Credit

ITER　国際熱核融合実験炉　International Thermonuclear Experimental Reactor

IThEO　国際トリウム・エネルギー機構 International Thorium Energy Organisation

ITS　高度道路交通システム　Intelligent Transport Systems
道路交通情報通信システム（VICS）や、自動料金支払いシステム（ETC）等

ITT【契約】入札要請　Invitation To Tenderer　引合仕様書
ITB と同じ（SHELL 用語）

ITU　国際電気通信連合
International Telecommunication Union
経済社会理事会の専門機関

ITV【図面記号】工業用カメラ　Industrial TeleVision

IUCN　国際自然保護連合
the International Union for Conservation of Nature

IUPAC　国際純正・応用化学連合
International Union of Pure and Applied Chemistry
アイユーパック　元素名や化合物名の国際基準（IUPAC 命名法）を制定

IW【図面記号】工業用水　Industrial Water　［関連］WI

IWP　インストレーション・ワーク・パッケージ Installation work Package [関連]CWP

技術者のためのIoTの技術と応用

ー「モノ」のインターネットのすべてー

技術者のための
IoTの技術と応用
ー「モノ」のインターネットのすべてー

瀬戸洋一 編著
慎祥挨 飛田博章 難波康晴 湯田晋也 著

日本工業出版

製品展開を行う中堅技術者を対象に、
IoTの基礎知識、
ビッグデータ解析、セキュリティなど
IoT技術とその展開を紹介する。

■体裁：A5判 176頁

■編著：瀬戸洋一・（産業技術大学院大学）
■共著：慎祥挨・飛田博章
（産業技術大学院大学）
難波康晴・湯田晋也
（日立製作所）

■定価：2,750円（税込）

日本工業出版㈱ 0120-974-250 https://www.nikko-pb.co.jp/ netsale@nikko-pb.co.jp

J

JAB 日本適合性認定協会 Japan Accreditation Board

JABEE 日本技術者教育認定機構 Japan Accreditation Board for Engineering Education

JACA 日本空気清浄協会基準
Japan Air Cleaning Association Standard

JACAS 日本オートケミカル工業会規格
Japan Autochemical Industrial Association standards

JACI 新科学技術推進協会 Japan Association for Chemical Innovation 新化学発展協会と (財) 化学技術戦略推進機構の一部が統合

JACOS【会社名】 カナダオイルサンド㈱ Japan Canada Oil Sands Limited ㈱石油資源開発のカナダ現地法人子会社

JACT STD 日本鋳造技術協会規格
The Japanese Association of Casting Technology Standard 日本鋳造協会（Japan Foundry Society, Inc. 略称「JFSinc」に統合

JAEA 日本原子力研究開発機構
Japan Atomic Energy Agency

JAIA 日本接着剤工業会規格
Japan Adhesive Industry Association Standard

JAIF 日本原子力産業会議
Japan Atomic Industrial Forum, Inc

JAIMAS 日本分析機器工業会規格
Japan Analytical Instruments Manufacturer's Association Standard

JAIS 日本芳香族工業会標準規格
Japan Aromatic Industry's of Standards

JALOS 潤滑油協会 Japan Lubricating Oil Society

JAMSEC 日本メンテナンス工業会
Japan Association of Maintenance and Service Contractors

JAMSS【航空・宇宙】有人宇宙システム㈱ Japan Manned Space Systems Corporation

JAMSTEC (独) 海洋研究開発機構 Japan Agency for Marine-Earth Science and Technology

JANTI 日本原子力技術協会
略称「原技協」 Japan Nuclear Technology Institute
原子力安全推進協会に改組

JAPAC 太平洋コールフロー推進委員会 The Japanese Comittie for Pacific Coal Flow JCOAL のアジア太平洋コールフローセンターが機能継承

JAPAN TAPPI 紙パルプ試験方法（紙パルプ技術協会）
Japan Technical Association of Pulp and Paper Industry

JAPEIC 発電設備技術検査協会
Japan Power Engineering and Inspection Corporation

JAPEX【会社名】 石油資源開発
Japan Petroleum Exploration Co. Ltd. 特殊会社として創立され、旧石油開発公団に編入。その後民間会社として独立

JAPIC 日本プロジェクト産業協議会 Japan Project-Industry Council

JARAS 日本ロボット工業会規格
Japan Robot Association Standards

JARS 日本冷凍空調学会規格
Japanese Association of Refrigeration Standard
[関連] JSRAE, JRA

JARUS 地域環境資源センター Japan Association of Rural Solutions for Enviromental Conservation and Resource Recycling

JASDF 航空自衛隊（日本） Japan Air Self-Defense Force
[関連] MOD, JDA, JSDF, JGSDF, JMSDF

JASE-W 世界省エネルギー等ビジネス推進協議会 Japanese Business Alliance for Smart Energy Worldwide

JASFA 発泡スチレンシート工業会
Japan Polystyrene Foamed Sheet Industry Association

JASS 建築工事標準仕様書
Japanese Architectural Standard Specification
日本建築学会 Architectural Institute of Japan

JAXA 宇宙航空研究開発機構
Japan Aerospace Exploration Agency

JB(/T) 中華人民共和国 機械工業業界標準 / 推薦 Ji xie gong ye Biao Zhun/Tui Jian, National Standard of the People's Republic of China for Machinery Industry (Recommended)

JB 中継端子箱 Junction Box

JBAS 日本ベントナイト工業会標準試験方法
Japan Bentonite Manufacturers Association Standard

JBIA 日本ベアリング工業会
Japan Bearing Industrial Asociation [関連] BAS

JBIC 国際協力銀行（日本）
Japan Bank for International Cooperation 円借款や ODA を行う政府系金融機関

JBMA 日本伸銅協会技術標準
Japan Brass Makers Association Standard

JBMS ビジネス機械・情報システム産業協会（JBMIA）規格
Japan Business Machine Makers Standard
JBMIA；Japan Business Machine and Information System Industries Association

JBPA 日本バイオプラスチック協会
Japan BioPlastics Association

JBS 日本小型工作機械工業会規格
Japan Bench Machine Tool Builders Association Standard

JCAA 日本建築あと施工アンカー協会 Japan Construction Anchor Association

JCAP 大気汚染緩和プログラム Japan Clean Air Program

JCAS 炭素協会規格 Japan Carbon Association Standard

JCAS 日本クレーン協会規格
Japan Crane Association Standard

JCAS 日本チェーン工業会規格
Japan Chain Association Standard

JCBA 日本伸銅協会技術標準
Japan Ccopper and Brass Association

JCC 日本輸入原油価格 Japan Crude Cocktail
日本に輸入されている原油の輸入通関価格

JCCI 日本商工会議所
Japan Chamber of Commerce and Industry

JCCME 中東協力センター
Japan Cooperation Center for the Middle East

JCCP 国際石油交流センター
Japan Cooperation Center, Petroleum

JCCS 【会社名】日本 CCS 調査㈱ [関連]CCS

JCDA 日本銅センター規格
Japan Copper Development Association Standard

JCI 日本プラント協会
Japan Consulting Institute

JCI SF 繊維補強コンクリートの試験方法に関する基準
（日本コンクリート工学協会）
JCI Standards for Test Methods of Fiber Reinforced Concrete
Japan Concrete Institute （JCI）

JCIA 日本化学工業協会
Japan Chemical Industry Association

JCIA BIGDr 日化協の化学物質リスク評価総合支援サイト
The Base of Information Gathering, sharing & Dissemination for risk management of chemical products

JCII 化学技術戦略推進機構
Japan Chemical Innovation Institute
旧 高分子素材センター [関連] JHPC

JCM　二国間クレジット制度 Joint Crediting Mechanism
JCMAS　日本建設機械施工協会規格
　　Japan Construction Mechanization Association Standard
JCOAL　石炭エネルギーセンター
　　Japan Coal Energy Center
　　日本石炭協会（旧 JCOAL）、石炭利用総合センター（CCUJ）
　　が統合　［関連］CCUJ, JLAS
JCRS　日本セラミック規格　Japanese Ceramic Standard
　　日本セラミックス協会（CSJ）；The Ceramic Society of Japan
JCS　日本電線工業会（JCMA）規格
　　Japanese Cable Makers'Association Standard
JCSS　計量法校正事業者登録制度 Japan Calibration Service
　　System
JCSS　日本鋳鍛鋼会規格　Japan Cast Steel Standards
　　［関連］JFSS
JDA　防衛庁（日本）　Japan Defense Agency　防衛省の前身
　　［関連］MOD, JSDF, JASDF, JGSDF, JMSDF
JDPAS　日本ダクタイル鉄管協会規格
　　Japan Ductile Iron Pipe Association Standard
JDR　国際緊急援助隊　Japan Disaster Relief team
JEAC　電気技術規程（日本電気協会）
　　Japan Electric Association Code
JEAG　電気技術指針（日本電気協会）
　　Japan Electric Association Guide
JEC　電気学会電気規格調査会標準規格
　　Standards of the Japanese Electro-technical Committee
　　［関連］IEEJ
JEC　日本環境会議　Japan Environmental Council
JEDIS　日本地震損傷尺度 Japan Earthquake Damage Intensity
　　Scale
JEIDA　日本電子工業振興協会規格
　　Japan Electronic Industry Development Association Standard
　　電子情報技術産業協会（JEITA）に統合
　　［関連］JEITA, EIAJ
JEITA　電子情報技術産業協会規格
　　Japan Electronics and Information Technology Industries
　　Association
　　日本電子機械工業会（EIAJ）と日本電子工業振興協会（JEIDA）
　　が統合　［関連］JEIDA, EIAJ
JEM　日本電機工業会（JEMA）規格
　　Standards of The Japan Electrical Manufacturers'Association
　　［関連］JEMA
JEMA　日本電機工業会
　　Japan Electrical Manufacturer's Association
　　［関連］JEM
JEMIMA　日本電気計測器工業会　Japan Electric Measuring
　　Instments Manufacturers'Association
JEMIS　日本電気計測器工業会（JEMIMA）規格
　　Japan Electric Measuring Instments Manufacturers'
　　Association Standard
JERA【会社名】㈱ JERA（Japan、energy、era）
JETRO　日本貿易振興機構
　　Japan External Trade Organization
JEUS　電力規格（電気事業連合会）
　　Japanese Electric utilities'standards　［関連］FEPC
JFCC　ファインセラミックスセンター
　　Japan Fine Ceramics Center
JFE【会社名】JFE スチール、JFE エンジニアリングなど
　　Japan Fe Engineering
JFPS　日本フルードパワー工業会規格（旧：日本油空圧工業会
　　規格、JOHS、JPAS）
　　Japan Fluid Power Standard
　　旧：The Japan Hydraulic and Pneumatic Standards, JOHS or

蒸気、熱に関することなら何でもご相談下さい。
必ずご満足のいく答を出します。
SG 株式会社進栄技研
進栄技研は秀れた技術力によって
蒸気発生から回収までをトータル的に把握して、
合理的なシステム設計を行います。

株式会社進栄技研
〒150-0002
東京都渋谷区渋谷3-6-19第一矢木ビル
TEL.03(5766)2981(代) FAX. 03(3400)7844
http://www.shin-ei-giken.com/

JPAS
JEPX　日本卸電力取引所 Japan Electric Power eXchange
JFS　日本鉄鋼連盟規格
　　Japan iron and steel Federation Standard
　　［関連］JISF, JISF-RCQ, JSS
JFSS　日本鋳鍛鋼会規格　Japan Forged Steel Standards
　　［関連］JCSS
JGC【会社名】日揮　Japan Gasoline Company の略
JGI　日本グリース協会規格　Japan Grease Institute Standard
JGKAS　日本ガス石油機器工業会規格
　　Japan Industrial Association of Gas and Kerosene Appliances
　　Standard
JGPIAS　日本硝子製品工業会規格
　　Japan Glass-Ware Products Industry Association Standard
JGS Standards　地盤工学会基準（旧土質工学会）
　　Japanese Geotechnical Society Standards
JGSDF　陸上自衛隊（日本）　Japan Ground Self Defense Force
　　［関連］MOD, JDA, JSDF, JASDF, JMSDF
JHCAS　日本ホース金具工業会規格
　　Japan Hose Coupling Association Standard
JHFC　水素・燃料電池実証プロジェクト（経済産業省）
　　Japan Hydrogen & Fuel Cell Demonstration Project
JHPAS　全国ヒューム管協会規格
　　Japan Hume Pipe Association Standards
JHPC　高分子素材センター規格　Japan High Polymer Center
　　化学技術戦略推進機構（JCII；Japan Chemical Innovation
　　Institute）に改組　［関連］JCII
JHS　日本金属熱処理工業会規格
　　Japan Heat Treatment Standard
JHTS　全国作業工具工業組合規格
　　Japanese Hand Tool Standard
JI　共同実施 Joint Implementation
JIA　日本ガス機器検査協会
　　Japan Gas Appliances Inspection Association
JIC【会社名】日本インシュレーション㈱ Japan Insulation
　　Co.,LTD.
JICA　国際協力機構
　　Japan International Cooperation Agency　ジャイカ
JICS　日本国際協力システム
　　Japan International Cooperation System
JIIA　日本インダストリアルイメージング協会 Japan Industrial
　　Imaging Association
JIIMA Standard　日本画像情報マネジメント協会規格
　　Japan Image and Information Management Association
　　Standard
JIMA　日本検査機器工業会 Japan Inspection instruments
　　Manufactures' Association

JIMS　日本産業機械工業会規格
　　Japan Society of Industrial Machinery Manufacturers
JIPM　日本プラントメンテナンス協会
　　Japan Institute of Plant Maintenance
JIRAS　日本産業用ロボット工業会規格
　　Japan Industrial Robot Association Standards
　　日本ロボット工業会に改称
JIS　日本産業規格（日本産業標準調査会）
　　Japanese Industrial Standards
　　産業標準化法に基づく標準。鉱工業品の種類、形式、寸法、
　　構造、品質、試験、検査等を規定。旧 JIS である日本工業
　　規格の対象にデータ、サービス等が追加された。　　［関連］
　　JISC
JISC　JI 監督委員会　Implementation Supervisory Committee
　　正式には共同実施監督委員会。京都議定書に基づき設置
JISC　日本産業標準調査会
　　Japanese Industrial Stanadrds Committee
　　産業標準化法に基づき JIS の調査審議等を行う
　　［関連］JIS
JISF　日本鉄鋼連盟
　　The JapanIron and Steel Federation
　　［関連］JISF-RCQ, JFS, JSS
JISF-RCQ　鉄鋼原量品位調査委員会規格（日本鉄鋼連盟）
　　Standard of Research Committee on Quality of Raw Materials
　　［関連］JISF, JISF-RCQ, JFS, JSS
JIT　ジャスト・イン・タイム　Just In Time
JIW　日本溶接会議　Japan Institute of Welding
　　日本溶接協会と溶接学会が共同で運営
JKM　日本・韓国のスポット LNG 価格指標　Japan Korea
　　Marker
JIWA　日本工業用水協会規格
　　Japan Industrial Water Association Standard
JLAS　日本石炭協会規格　Japan Lime Association Standard
　　石炭エネルギーセンター（JCOAL）に統合
　　［関連］JCOAL, CCUJ
JLIA　日本エルピーガス供給機器工業会規格
　　Japan LP-Gas Instruments Manufacturer's Association
　　Standard
JLPA　日本エルピーガスプラント協会規格
　　Japan LP-Gas Plant Association Standard
JLPGA　日本 LP ガス協会規格
　　Japan LP-Gas Association Standard
JMAS　日本精密測定機器工業会規格
　　Japan Precision Measuring Instrument Association Standard
JMIF　日本計量機器工業連合会規格
　　Japan Measuring Instruments Federation Standard

JMS　【会社名】㈱ジェイエムエス JMS Inc.
JMS　日本船舶標準協会規格
　　Japan Marine Standards 廃版
JMSDF　海上自衛隊（日本）
　　Japan Maritime Self Defense Force
　　［関連］MOD, JDA, JSDF, JASDF, JGSDF
JMU　【会社名】ジャパン マリンユナイテッド㈱　Japan
　　Marine United Corporation
JNCE　【会社名】JNC エンジニアリング（旧チッソエンジニア
　　リング）JNC Engineering co.,ltd.
JNES　原子力安全基盤機構 Japan Nuclear Energy Safety
　　Organization
JNF　日本不織布工業会（ANNA）規格
　　Japanese Nonwoven Fabrics Standards
　　ANNA ; All Nippon Nonwovens Association
JNFL【会社名】　日本原燃　Japan Nuclear Fuel Limited
JNIOSH　労働者健康安全機構 労働安全衛生総合研究所
　　National Institute of Occupational Safety and Health,Japan
JNOC　石油公団 (旧) Japan National Oil Corporation　2004
　　年金属鉱業事業団と統合し、石油天然ガス・金属鉱物資源機
　　構（JOGMEC）となった　［関連］JOGMEC
JODCO【会社名】　ジャパン石油開発
　　Japan Oil Development Co., Ltd.
JOGIS　日本光学硝子工業会規格
　　Japanese Optical Glass Industrial Standards
JOGMEC　石油天然ガス・金属鉱物資源機構
　　Japan Oil, Gas and Metals National Corporation
　　2004 年石油公団と金属鉱業事業団が統合
JOHAS　労働者健康安全機構 Japan Organization of
　　Occupational Health and Safety
JPAS　日本製紙連合会規格　Japan Paper Association
JPCA　石油化学工業協会
　　Japan Petrochemical Industry Association
JPDO【会社名】日本パイプライン㈱ Japan Pipeline Development
　　& Operation Inc.
JPEC　石油エネルギー技術センター
　　Japan　Petroleum Energy Center
　　旧称「石油産業活性化センター」［関連］PEC
jpeg (jpg)【図面形式名】　静止画像を圧縮したファイル形式
　　Joint Photograph Experts Group
JPEMAS　日本琺瑯工業会（JEA）規格
　　Japan Porcelain Enamel Association Standard
JPF　日本金属継手協会（JPF）規格
　　Japan Pipe Fittings Association Standard　旧：鉄管継手協会
　　［関連］FAS
JPF　国際交流基金　Japan Foundation

薬注の混合に好適
撹拌・混合・混和・中和・均一・均質
Staticmixer 2800
全ての「混ぜる」を
簡単・低コストに
わずか 3mm
JMS 株式会社 ジェイ エム エス
〒140-0011 東京都品川区東大井 2-5-14
TEL:03-6712-0617㈹ FAX:03-6712-0667
https://www.jmsystem.co.jp/

JPI　日本石油学会規格
The Japan Petroleum Institute
JPIA　日本圧力計温度計工業会（JPTMA）標準規格
Japan Pressure and Thermometer Manufacturers Association
JPMA　日本塗料工業会規格
Japan Paint Manufacturers Association
JPMA　日本粉末冶金工業会規格
Japan Powder Metallurgy Association Standard
JPO　特許庁（日本）　Japan Patent Office
JPOWER　【会社名】電源開発㈱ Electric Power Development Co.,Ltd.
JPVRC　日本圧力容器研究会議 The Japan Pressure Vessel Research Council
JQA　日本品質保証機構
Japan Quality Assurance Organization
JRA　日本冷凍空調工業会規格
The Japan Refrigeration and Air Conditioning Industry Association Standards　［関連］JARS, JSRAE
JRHA　ゴムホース規格（日本ゴムホース工業会）
Japanese Rubber Hose Standards Association
JRPS　強化プラスチック協会
The Japanese Reinforced Plastics Society
［関連］FRPS
JRS　耐火物規格（耐火物技術協会）
Japanese Refractories Standards　耐火物技術協会
（TARJ；The Technical Association of Refractories, Japan）
JSA　日本規格協会
Japanese Standards Association
日本産業規格（JIS）の販売等を行っている
JSAS　日本保安用品協会規格
Japan Safety Appliance Association Standard
JSDF　自衛隊（日本）　Japan Self-Defense Force
［関連］MOD, JDA, JSDF, JASDF, JGSDF, JMSDF
JSDS　造船艤装設計基準（日本造船学会）
Japanese Ship Design Standard　日本造船学会
（SNAJ；The Society of Naval Architects of Japan）
JSHS　日本熱処理技術協会（JSHT）規格
Japan Society for Heat Treatment Standard
JSIA　日本配電制御システム工業会規格
Japan Switchboard & control system Industries Association
旧：日本配電盤工業会
JSIMA　日本測量機器工業会規格
Japan Surveying Instrument Manufacturers Association
JSMA　日本ばね工業会規格
Japan Spring Manufacturers Association
JSME　日本機械学会規格
The Japan Society of Mechanical Engineers
JSNDI　日本非破壊検査協会
The Japanese Society for Non-destructive Inspection
JSPE　配管技術研究協会規格
Standard of the Society of Piping Engineers

事務局；日本工業出版
JSPM　粉体粉末冶金協会標準
Japan Society of Power and Powder Metallurgy Standard
JSQS　日本鋼船工作法精度標準（日本造船学会）
Japanese Shipbuilding Quality Standard
JSRAE　日本冷凍空調学会
JAPAN SOCIETY OF REFRIGERATING AND AIR CONDITIONING ENGINEERS　［関連］JARS, JRA
JSS　日本鋼構造協会（JSSC）標準
Japanese Society of Steel Construction Standard
JSS　日本鉄鋼標準物質
認証標準物質（CRM；Certified Reference Material）
［関連］JISF, JISF-RCQ, JFS
JST　日本標準時　Japan standard time
［関連］UT, UTC, TAI, IAT
JST　科学技術振興機構　Japan Science and Technology Agency
JSTM　建材試験センター規格
Japan Testing Center for Construction Materials Standard of Testing Materials
JSWA　日本下水道協会規格
Japan Sewage Works Association Standards
JTIS　日本保温保冷工業会規格
Japan Thermal Insulation Association Standard
JTMS　試工会規格（日本試験工業会）
Japan Testing Machinery Standard
JUIDA　（一社）日本 UAS 産業振興協議会 Japan UAS Industrial Development Association
JV　日本バルブ工業会（JVMA）規格
Japan Valve Manufacturers' Association Standard
JV【契約】　合弁事業、共同企業体。ジョイント ベンチャー
Joint Venture
1 社では能力面、リスク面等で相互に分担、補完しあうことを目的として構築される共同企業体
JVAS　日本ビニル工業会
Japan Vinyl Goods Manufacturers' Association
JVIS　日本真空協会規格
The Vacuum Society of Japan Standard
JVMA　日本バルブ工業会
Japan Valve Manufacturers' Association　［関連］JV
JWD　【会社名】日本風力開発㈱ Japan Wind Development
JWPA　日本風力発電協会
Japan Wind Power Association
JWS　溶接学会　Japan Welding Society
JWW【拡張子】JW-CAD
JWWA　日本水道協会規格　Japan Water Works Association
JX【会社名】　旧：JX エネルギー（JXTG を経て ENEOS）
新日本石油（ENEOS）、新日鉱（JOMO）の統合会社
「J」は日本、「X」は未知、未来、創造性・革新性などを表現
JXTG　【会社名】旧 JXTG エネルギー㈱、現 ENEOS ㈱ JXTG
Nippon Oil & Energy Corporation TG は東燃ゼネラル　［関連］NOE

技術雑誌をそのままデータに保存
「**保存用 年度版 バックナンバーPDF**」
ホームページ **https://www.nikko-pb.co.jp/** よりご購入できます。
1年分（1〜12月号）　定価：10,000〜15,000円（税込）

K

K【単位】 絶対温度（ケルビン） kelvin （°K）は旧表記
　K＝℃＋273.15　［関連］℃, K, °F, deg
K　1000　Kilo、thousand
K YEN、k¥【単位】 千円　［関連］k¥, M¥, MM¥
KAAU　キングアブドゥルアジズ大学
　King Abdulaziz University
KACST【会社名】 サウジアラビア王国キングアブドゥルアジ
　ズ科学技術都市
　King Abdulaziz City for Science and Technology
KAPSARC　アブドラ国王石油調査研究センター
　The King Abdullah Petroleum Studies and Research Center
KBR【会社名】ケロッグ・ブラウン・アンド・ルート Kellogg,
　Brown & Root
KCC【会社名】 クウェート触媒㈱（民間）
　Kuwait Catalyst Company
KCIA　韓国中央情報部　Korean Central Intelligence Agency
KDE　カーネル密度推定 Kernel Density Estimation
KEC【会社名】 クラレエンジニアリング
　Kuraray Engineering Co., Ltd.
KEEI　韓国エネルギー経済研究院
　Korea Energy Economics Institute
KEK　高エネルギー加速器研究機構
　Kou Enerugii Butsurigaku Kenkyūsho
KEPCO【会社名】 関西電力。通称「関電」
　Kansai Electric Power Co., Inc.
KEPCO【会社名】 韓国電力公社。通称「韓電」
　Korea Electric Power Corporation
kero【化合物】 灯油　kerosene
KFC【会社名】㈱ケー・エフ・シー　旧社名 建設ファスナー㈱に
　由来
KFIB　クウェート海外投資局
　Kuwait Foreign Investment Bureau
KFUPM　キングファハド石油鉱物資源大学（サウジ）
　King Fahd University of Petroleum & Minerals
kgf·m【単位】トルク（ねじり力）のMKS系単位。 kilogram-
　force metre　「kgf m」とも書く。1kgf·m=9.81N·m=7.23lbf·ft
KG【配管材料】 キログラム　Kilogram
KGK【会社名】 ㈱検査技術研究所

KGK
株式会社検査技術研究所
〒210-0803
神奈川県川崎市川崎区川中島2-16-18
☎ TEL.044-277-0121 FAX.044-277-0120
http://www.PROBE-KGK.com

KGOC【会社名】 アラビア石油カフジ利権失効後のクウェート
　側操業会社　Kuwait Gulf Oil Company

st K
Silent Technology
KANEKO
金子産業株式会社
〒108-0014　東京都港区芝5−10−6
TEL 03-3455-1411　　FAX 03-3456-5820
URL　http://www.kaneko.co.jp/

KHI【会社名】 川崎重工業㈱
　Kawasaki Heavy Industries, Ltd.
KHK（KHGK）危険物保安技術協会
　Hazardous Material Safety Techniques Association
　日本名の頭文字に由来
KHK　高圧ガス保安協会
　The High Pressure Gas Safety Institute of Japan
　日本名の頭文字に由来
KHNP 韓国水力原子力発電㈱
　Korea Hydro and Nuclear Power
KISCC 下限界応力拡大係数 [関連]SCC
KISR　クウェート科学研究所
　Kuwait Institute for Scientific Research
KITZ【会社名】 ㈱キッツ　kitazawa から kitz
KJO　カフジ共同操業機構（AGOC 及び KGOC の共同機構）
　Al-Khafji Joint Operation
KKK【会社名】 共栄バルブ工業
KNPC【会社名】 クウェート国営石油精製会社。KPC の傘下
　Kuwait National Petroleum Company　［関連］KPC, KNPC
KMG　カザフスタン国営石油・ガス会社 KazMunayGas
KOBELCO【会社名】 ㈱神戸製鋼所　KOBE STEEL, LTD.
KOC【会社名】 クウェート国営石油開発会社
　Kuwait Oil Company
Kogas【会社名】 韓国ガス公社　Korea Gas Corporation
KOM　キックオフミーティング　Kick Off Meeting
KOTC【会社名】 クウェート国営石油タンカー会社
　Kuwait Oil Tankers Company
KP、K.P【図面記号】 工事基準面（川崎港、神戸港、北上川等）
　Kawasaki peil、Kobe peil、Kitakamigawa peil
　川崎港工事基準面、＝ T.P.（東京湾平均海面）−1.09m、神戸
　港工事基準面、北上川基準工事面　［関連］AP, TP, GL
KP　クラフトパルプ Kraft Pulp
KPC【会社名】 クウェート国営石油会社
　Kuwait Petroleum Corporation　［関連］KNPC
KPI　重要業績評価指標　Key Performance Indicators
KPIA　韓国石油化学工業協会
　Korea Petrochemical Industry Association
KSNP　韓国標準型原子炉
　Korea Standard Nuclear Power plant
KTA　ドイツ 原子力技術基準委員会 Kerntechnisher Ausschuss
KTM【会社名】 エマソンバルブアンドコントロールジャパン
　㈱のバルブ　旧：北村バルブ製造
KVC【会社名】 ㈱ケイヴイシー　KVC Co.,LTD.
KY、KYK　危険予知（活動）　Kiken Yochi (Katsudou)

L

L【図面記号】 （警報計と共に用いて）低警報 Low

L【配管材料】 長さ Length

L/A ローン・アグリーメント（貸付契約） Loan Agreement

LA【図面記号】 レベル異常警報計 Level Annunciator（Alarm）

LAMTSS 時系列セグメンテーション技術
Lag-Aware Multivariate Time-Series Segmentation

LASSO 正則化項 Least Absolute Shrinkage and Selection Operator

lb、#【単位】 重量単位 pound 1lb＝約454g
圧力クラスの場合は「#」と表記する

LBB 漏洩先行型破損 Leak Before Break

lbf·ft 【単位】トルク（ねじり力）のヤード・ポンド系単位。
Foot-pound force ft·lbf、「ft lbf」とも書く。
1lbf·ft=1.36N·m=0.138kgf·m

L/C、LC【契約】 信用状 Letter of Credit

LC【図面記号】 レベル調節計 Level Controller

LCA ライフ・サイクル・アセスメント
Life Cycle Assessment

LCA レーザー光の露出のない作業区域 Laser Controlled Area

LCC ライフサイクルコスト Life Cycle Cost

LCD 液晶ディスプレイ Liquid Crystal Display

LCGHG ライフサイクル温室効果ガス
Life Cycle Greenhouse Gas

LCM ライフサイクルマネジメント Life Cycle Management

LCM 最小公倍数 Least（lowest）Common Multiple
［関連］LCM, GCM, HCF, GCF, GCD

LCN 二重化された DCS 専用ネットワーク（5Mbps）で、LCN
モジュール間を接続 Local Control Network

LCO【化合物】 軽油相当沸点留分 Light Cycle Oil

LCOE 均等化発電コスト levelised cost of electricity

LCP 生活継続計画 Life Continuity Planning

LCP【化合物】 液晶性ポリマー liquid crystalline polymer

LCR 誘導係数・静電容量・抵抗
Inductance（L）Capacitance（C）Resistance（R）

L/D ローディング・データ Loading Data

LDAR リークの検出と修復 Leak Detection and Repair

LDG 転炉ガス Linz-Donawitz converter Gas

LDI 液滴衝撃エロージョン
Liquid droplet impingement erosion

LDPE【化合物】 低密度ポリエチレン Low Density Polyethyle

LDV レーザードップラー速度計 Laser Doppler Velocimeter

LEAF 故障メカニズムに基づく寿命予測手法 Life-span
Estimation Analysis based on Failure mechanisms

LED 発光ダイオード Light Emitting Diode

LED 鉛押出し型ダンパー Lead Extrusion Damper

LEL 爆発下限界 Lower Explosive Limit ［関連］UEL

LEMIGAS インドネシア国営石油・ガス研究所
R & D Center for Oil & Gas Technology

LEPC 地域緊急対応計画協議会 Local Emergency Planning
Community

LES 空間平均モデル（乱流モデル） Large Eddy Simulation

LES 陸用内燃機関協会規格（日本陸用内燃機関協会）
Land Engine Standards
Japan Land Engine Manufacturers Association

LEV 低漏洩バルブ Low Emission Valves

LEWC 低濃縮高レベル廃液 Low Enriched Waste Concentrate

LFE 層流素子 Laminar Flow Element

LFR リニア・フレネル型 CSP Linear Fresnel Reflector

L/G 保障状 Letter of Guarntee

LHC 円型加速器 Large Hadron Collider

配管技術

定価2,300円（本体2,091円＋税10%）／年間購読料・年14冊28,000円（税込）

1959年の創刊以来、石油、石油化学、火力・原子力発電、化学、食品等のプラントエンジニアリングにおいて、斯界を代表する専門技術誌として定評をいただいています。プラントを構成するすべての機器、材料、システム等についてその技術的背景、コスト、法規、設計、施工、検査、安全、メンテナンスと多角的に検討し、配管をプラント全体としてとらえるエンジニアリングの専門誌です。

購読のお申し込みは フリーコール **0120-974-250**

https://www.nikko-pb.co.jp/

日本工業出版㈱ 販売課

〒113-8610 東京都文京区本駒込6-3-26 TEL. 03-3944-8001 FAX. 03-3944-6826
E-mail：sale@nikko-pb.co.jp

LHP　ループヒートパイプ　Loop Heat Pipe
LHSV　液空間速度　Liquid hourly space velocity
　時間当りの体積速度　［関連］WHSV
LHV　低位発熱量　Lower Heating Value　［関連］HHV
LiDAR　光による検知と測距　light (imaging) detection and
　ranging
L/I, LOI【契約】　内示書、関心表明所　Letter of Intent
LI【図面記号】　レベル検出器　Level Indicator
LiB　リチウムイオン電池　Lithium-Ion Battery
LIBOR　ロンドン銀行間出し手金利、ロンドン銀行間取引金利
　London Interbank Offered Rate　ライバー
　国際金融の短期資金の指標金利
LIC【図面記号】　レベル指示調節計
　Level Indicating Controller
LIDAR　レーザー高度計、光検出測距装置
　Light Detection And Ranging
LIFO　後入後出法　last-in, last-out　ライフォー
LIFT【配管材料】　リフト型　Lift Type
LIMS　ラボ情報システム　Laboratory Information Management
　System
Linde【会社名】　リンデ　Linde AG
　ドイツの大手エンジニアリンググループ企業。ガスが得意
LIS　日本アルミニウム協会
　Light Metal Industrial Standard
LJ【配管材料】　遊合型（ルーズ型）フランジ
　Lapped (Loose) Joint
LL【図面記号】　（警報計と共に用いて）異常低警報　Low Low
LL　レッスン・アンド・ラーンド　Lesson and Lernd
LLDPE【化合物】　直鎖状低密度ポリエチレン
　Linear Low Density Polyethylene
LLFP　長寿命核分裂生成物　Long-Lived Fission Product
LLI　長納期品　Long Lead Item
LLP　有限責任事業組合　Limited Liability Partnership
LLW　低レベル放射性廃棄物　Low Level Radioactive Waste
LMB　【会社名】　L&T と MHPS の合弁会社　L&T-MHPS
　Boilers Private Ltd.
LMP　ラーソン・ミラーのパラメータ　Larson-Miller parameter
LMS　技能支援システム　Learning Management System
LMTD　対数平均温度差　Log Mean Temperature Ddifference
　熱交換器設計時に使用
　LMTD＝((T1-t2)-(T2-t1))/LN(T1-T2)/(T2-t1)
LMTG　【会社名】　L&T と MHPS の合弁会社
　L&T-MHPS Turbine Generators Private Ltd.
LN2　液体窒素　liquid nitrogen
LND【配管材料】　ライニング　Lined
LNF【配管材料】　ロングネックフランジ　Long Neck Flang
LNG【化合物】　液化天然ガス　Liquified Natural Gas
　［関連］NG, NGL
LNGBV　LNG 燃料供給船　LNG Bunkering Vessel
LNG-RV　船上再ガス化装置付き LNG 船　LNG Regasification
　Vessel
LOD　精密さの度合い　Level Of Detail
LOF　破損確率　Likelihood of Failure
LOI　意向書、要望書、念書　Letter of Intent
LOTO　ロックアウト / タグアウト　Lockout/Tagout
LOPA　防護層解析　Layer of Protection Analysis
LOU　確約証　Letter of Undertaking
LP【配管材料】　低圧　Low Pressure
LP　線形計画法　Linear Programming
LP　レーザープロファイラ　Laser Profiler
LPCI　低圧注水系　Low Pressure Coolant Injection System
LPCS　低圧炉心スプレイ系　Low Pressure Core Spray System
LPG【化合物】　液化石油ガス（LP ガス）

自己制御ヒータの
国内唯一の製造事業者

株式会社エイ・ケー・ケー

〒033-0073 青森県上北郡六戸町金矢二丁目２番地
TEL：0176-51-1101㈹　FAX：0176-51-1103
http://www.akk2021.co.jp/

　Liquified Petroleum Gas
LPPS　低圧プラズマ溶射法　Low Pressure Plasma Spray
LPRO　低圧 RO　[関連]RO
LPWA（N）　Low Power, Wide Area（Network）
LR【配管材料】　ロング・ラディアス　Long Radius
LRC　低品位炭 (褐炭等)　Low Rank Coal
LRDC　設備管理技術開発センター　Leaf Research and
　Development Center
LRFD　限界状態設計法　Load and Resistance Factor Design
LS【図面記号】　現場調節端　Loose End
LS【契約】　一括請負（ランプサム）契約　Lump sum
　あらかじめ金額を決定する契約の総称。FP と同意語
　［関連］FTK, Lump sum, reimbursable, Semi-turnkey, CPF,
　CPFF
LS　低硫黄　Low Sulfur
LSA　重油　JIS の A 重油 1 種 1 号　低硫黄 A 重油　Low Sulfur
　A Fuel Oil
LSC　液体シンチレーションカウンター
　Liquid Scintillation Counter
LSFO　低硫黄燃料油　LSHFO と同意語　Low Sulfur Fuel Oil
LSHFO　低硫黄燃料油　LSFO と同意語　Low Sulfur Heavy Fuel Oil
LSR【化合物】　軽質直留ガソリン
　Light Straight Run Naphtha
LT　漏れ試験　Leak testing
L&T【会社名】インド建設会社最大手　Larsen & Toubro
Ltd　株式会社　limited
LTD　冷凍機凝縮器出口温度－冷却水出口温度
　Leaving Temperature Difference
LTE　3G と 4G の間の携帯電話通信規格　Long Term Evolution
LTHE【会社名】　L&T Hydrocarbon Engineering
LTSA　長期保守契約　Long Term Service Agreement
LTSpAUC　波形判別 AI 技術　Learning Time-series Shapelets
　for optimizing partial AUC
LTT　低変態温度溶接材料　Low Transformation Temperature
LUMO　最低空軌道　Lowest Unoccupied Molecular Orbital
Lurgi【会社名】　ルルギ　Lurgi AG
　ドイツの大手エンジニアリング企業
LVGO【化合物】　軽質減圧軽油　Light Vacuum Gas Oil
LWD　掘削同時検層　Logging While Drilling
LWR　軽水炉　Light Water Reactor
LWS　軽金属溶接構造協会規格
　The Japan Light Metals Welding and Construction
　Association Standard
lzh【図面形式名】　LHArc や LHA で作成する圧縮ファイル形
　式　国内では主流

M

M【図面記号】 メートル並目ネジ
Metric Coarse Screw Threads

M【配管材料】 メーター（長さ）／おす　Meter/Male

M2M　直接データ伝送 Machine-to-Machine

M YEN, M¥【単位】 千円　ローマ数字の 1,000 ＝ M 由来。
外資系会社では M は Million を意味するので、要注意
［関連］k¥, M¥, MM¥

M&A　企業の合併・買収　Merger & Acquisition

M.　修士　master

MAA　ミナアルアマディ製油所（KNPC の製油所）
Mina Al-Ahmadi Refinery

Maas　マース Mobility as a Service

MAB　ミナアブドラ製油所（KNPC の製油所）
Mina Abdulla Refinery

MAC　メッセージ認証符号またはメッセージ認証コード
Message Authentication Code　［関連］MIC

MACC　1,500℃級コンバインドサイクル発電
More Advanced Combined Cycle　［関連］CC, ACC, MACC,
GTCC

MAFF　農林水産省（日本）。略称「農水省」
Ministry of Agriculture, Forestry and Fisheries

MAG　MAG 溶接。マグ溶接　Metal Active Gas (welding)
［関連］ARC, FCAW, MAG, MIG, TIG, GMAW, GTAW, SAW,
SMAW

MAGAR　曲がりボーリング薬液注入工法　Multi Arc Grout
with Advanced Rod

MAHB　EU 大規模災害管理局 Major Accident Hazard Bureau

MAOP　最許容使用圧力 Maximum Allowable Working
Pressure

MARPOL　マルポール条約、マルポール条約 73/78、海洋汚
染防止条約　International Convention for the Prevention of
Pollution from Ships, 1973, as modified by the Protocol of
1978 relating thereto

MARS　重大化学事故報告システム Major Accident Reporting
System

MAS　日本工作機械工業会（JMTBA）規格
Tooling and Equipment Standard 略称「日工会」
JMAA；Japan Machine Tool Builder's Association

MA-T　MA-T システム Matching Transformation System

MATES　三菱重工が自社開発した造船用 3D-CAD
Mitsubishi Advanced Total Engineering system of Ships

MATL（MTL）【配管材料】 材料　Material

MATL.【図面記号】 材料、材質　Material

MAWP【図面記号】 最高使用圧力
Maximum Allowable Working Pressure

MAWT【図面記号】 最高使用温度
Maximum Allowable Working Temperature

MAX【配管材料】 最大　Maximum

MB　マテリアルバランス Material Balance

MBA　経営学修士、ビジネス修士
Master of Business Administration

MBN【配管材料】 マシンボルト＆ナット
Machine Bolt & Nut

M.Bolt【配管材料】 マシン・ボルト　Machine Bolt

M-BOM　造部品表 Manufacturing Bill of Material

MBR　モデルベースドリスクマネジメント Model Based Risk
management

MBR　膜分離活性汚泥法　Membrane Bioreactor
［関連］RO 膜、NF 膜、UF 膜、MF 膜、MBR

MBS【化合物】 ブタンジエン・スチレン・メチルメタクリレート
methyl methacrylate-butadiene-styrene resin

MC　コイル法磁粉探傷試験　CoilMethod Magnetic Particle

ターボ機械

定価2,300円（本体2,091円＋税10%）／年間購読料・年12冊23,000円（税込）

本誌は、ポンプ、送風機、圧縮機、タービンなど、ターボ機械に関する技術向上と振興を目的としてターボ機械協会の会誌としても採用されている、流体機械・流体工学の専門誌です。従来この種の専門誌では研究面と実際面での乖離が指摘されますが、本誌はその両者の橋渡し役として、内外の研究成果、技術情報の迅速な提供と実際面の適用重視の視点で編集されているため、ユーザ、学界、産業界から高く評価されております。

購読のお申し込みは　フリーコール **0120-974-250**

https://www.nikko-pb.co.jp/

日本工業出版㈱ 販売課

〒113-8610　東京都文京区本駒込6-3-26　TEL. 03-3944-8001　FAX. 03-3944-6826
E-mail：sale@nikko-pb.co.jp

Inspection
［関連］EC, ET, PT, PW, MPT, MT, MC, MY, UT, RT
MC【会社名】 三菱商事㈱ Mitsubishi Corporation
MCC モータコントロールセンター Motor Control Center
MCC【会社名】 三菱ケミカル㈱ Mitsubishi Chemical
Corporation
MCEC【会社名】 三菱重工の化学プラントエンジ部門の旧称。
エムセック
MCEC【会社名】 旧三井化学エンジニアリング㈱
Mitsui Chemical Engineering Co., LTD.
MCF【単位】 1000 立方フィート mil cubic feet
1MCF = 28 m³ ［関連］CCF, MCF, MMCF, BCF, TCF
MCFC 溶融炭酸塩形燃料電池 Molten Carbonate Fuel Cell
MCH【化合物】メチルシクロヘキサン Methylcyclohexane
MCHC【会社名】三菱ケミカルホールディングス Mitsubishi
Chemical Holdings Corporation
MC/MG マシンコントロール / マシンガイダンス（Machine
Control/Machine Guidance
MCPT マイクロ化学プロセス技術研究組合 The Research
Association of Micro Chemical Process Technology
MCU 一液湿気硬化型ポリウレタン Moisture Cure poly-
Urethane
MD【単位】 人工、人日、工数。工事数量を表すときに使われ
る Man Day
MDC 微生物脱塩セル microbial desalination cell
MDF 船舶用ディーゼル燃料 Marine Diesel Fuel
MDGs ミレニアム開発目標 (SDGs の前身)
Millennium Development Goals
MDJ 旧排水鋼管継手工業会
MDL 最小記述長 Minimum Description Length [関連]AI
MDMT 最低設計金属温度
Minimum Design Metal Temperature
MDO 船舶用ディーゼル油（A 重油）Marine Diesel Oil
MDR 製作者設計報告書 Manufacture's Design Report
MDS モーション距離センサー motion distance sensor
MDTC ASME の Technical 委員会の一つ Mechanical Design
Technical Committee
ME 通電法磁粉探傷試験
Direct Contact Method Magnetic ParticleI nspection
MEA【化合物】モノエタノールアミン monoethanolamine
MEC【会社名】 三菱ケミカルエンジニアリング㈱
Mitsubishi Chemical Engineering Corporation
MEC 微生物電解セル microbial electrolysis cell
MED 多重効用法 Multi Effect Distillation
MEG【化合物】モノエチレングリコール Mono-Ethylene Glycil
ME-GI 電子制御式ガスインジェクションディーゼル船
M-type,Electrically Controlled,Gas Injection

株式会社ナカボーテック
本社/〒104-0033 東京都中央区新川1-17-21
TEL:03-5541-5813 FAX: 03-5541-5833
URL https://www.nakabohtec.co.jp/

MEK【化合物】メチルエチルケトン Methyl Ethyl Ketone
塗料溶剤、脱蝋（ろう）溶剤として用いられる
MEMS マイクロマシン Micro Electro Mechanical Systems
MENA 中東・北アフリカ諸国（市場）
Middle East and North Africa ミーナ
ポスト BRICs として注目されている。サウジアラビア、アラ
ブ首長国連邦（UAE）、クウェート、カタール、オマーン、バー
レーン、トルコ、イスラエル、ヨルダン、エジプト、モロッ
コの 11 カ国 ［関連］GCC, MENA
M.Eng ／ Meng 工学修士 A Master of Engineering
MEPA サウジ気象及び環境保護管理局
Meteorological and Environmental Protection Administration
MEPC 海洋環境保護委員会
Marine Environment Protection Committee
MEPS 最低エネルギー消費効率基準 Minimum Energy
Performance Standard
MERCOSUR 南米南部共同市場
Mercado Comun del Cone Sur
MES【会社名】 三井 E&S ホールディングス㈱（旧三井造船）
Mitsui E&S Holdings Co., Ltd.
MESCO【会社名】 三井金属エンジニアリング㈱
Mitsui Kinzoku Engineering & Service Co., Ltd
MESG 最大安全隙間 Maximum Experimental Safety Gap
METI 経済産業省（日本）。略称「経産省」
Ministry of Economy, Trade and Industry
METROS 首都圏環境温度・降雨観測システム
Metropolitan Environmental Temperature and Rainfall
Observfation System
M&F【配管材料】 はめ込み座 Male & Female Face
MF【図面記号】 フランジシール面（フランジフェイス面）の
形状。はめ込み形 Male and Female メール座：MF-M ／

工場・プラント用配管向けに優れた特性を持つ
MESCOの複合ポリエチレン管！
耐薬品性 耐食性 耐候性
耐摩耗性 耐久性 耐震性 etc
MESCO 三井金属エンジニアリング株式会社 パイプ・素材事業部
本社 パイプ営業部 東京営業所 〒130-8531 東京都墨田区錦糸 3-2-1 アルカイースト 15F
☎ 03-5610-7850 https://www.mesco.co.jp/ － パイプでつなぐ 人とみらい －

フィメール座：MF-F。心出しを正確に行う必要のある場所などに利用される　［関連］MF, RJ, RF, TG, FF

MF【化合物】 メラミン樹脂 melamine formaldehyde resin

MF膜 精密濾過膜 Microfiltlation membrane

MFC マスフローコントローラ mass flow controller

MFC 微生物燃料電池 Microbial fuel cell

MFC MFC方式（Linde）Mixed Fluid Cascade

MFCP 混合冷媒カスケード・プロセス Mixed Fluid Cascade Process

MFL 漏洩磁束法 Magnetic Flux Leakage

MFO 船舶用重油 Marine Fuel Oil

MFO 中型燃料油 HFO と MDO の混合物 Medium Fuel Oil

MGO 船舶用ガスオイル Marine Gas Oil

MFM マスフローメータ Mass Flow Meter

MGT マイクロガスタービン Micro Gas Turbine

MH マンアワー Man Hour

MH メタンハイドレート Methane Hydrate

MH【図面記号】 マンホール manhole

MHC 機械-油圧式制御装置 Mechanical Hydraulic Control

MHI【会社名】 三菱重工業 Mitsubishi Heavy Industry

MHIA【会社名】 米国三菱重工 Mitsubishi Heavy Industries America, Inc

MHIEC【会社名】 三菱重工環境・化学エンジニアリング㈱ Mitsubishi Heavy Industries Environmental & Chemical Engineering

MHLW 厚生労働省（日本）。略称「厚労省」 Ministry of Health, Labour and Welfare

MHP マンソン・ハファードのパラメータ Manson-Haferd parameter

MHPS【会社名】 旧三菱日立パワーシステムズ㈱ MITSUBISHI HITACHI POWER SYSTEMS

MHS【会社名】MHソリューション Miyata Hiroshi Solution

MI マテリアルズインフォマティクス Materials Informatics

MI6 イギリス諜報局 Militaly Intelligence 6

MIAB 磁気駆動回転アークを利用した溶接 Magnetically Impelled Arc Butt Welding

MIBC【化合物】 メチルイソブチルカルビノール

MIBK【化合物】 メチルイソブチルケトン methyl isobutyl ketone

MIC【化合物】 イソシアン酸メチル methyl isocyanate

MIC 微生物腐食 Microbially influenced Corrosion

MIC メッセージ完全性符号 Message Integrity Code

MIG MIG溶接。ミグ溶接 Metal Inert Gas（welding）

MIGA 多国間投資保証機関 Multilateral Investment Guarantee Agency

MIGAS インドネシアエネルギー工業省石油ガス庁 Directorate General of Oil & Gas

MIL 米国軍用規格 Military Specifications & Standard

min【単位】 分 minute ［関連］hr, min, sec

MIN【配管材料】 最小 Minimum

MIT マサチューセッツ工科大学 Massachusetts Institute of Technology

MKE 韓国知識経済部 Ministry of Knowledge Economy

MKK【会社名】 三菱化工機㈱ Mitsubishi Kakoki Kaisha, Ltd.

MKS【単位】 m, kg, sec（秒）を基準とした単位系 メートル単位系 metre、kirogram、second

MKSA【単位】 MKS に電流（アンペア）を追加した単位系 metre・kirogram・second・ampere

ML 機械学習 Machine Learning

MLIT 国土交通省（日本）。略称「国交省」 Ministry of Land, Infrastructure and Transport

MLR 信頼性に基づく減肉評価法専門研究（委員会）Metal Loss assessment based on Reliability

MLVSS 活性汚泥有機性浮遊物質 Mixed Liquor Volatile Suspended Solids

MM【配管材料】 ミリメーター（長さ） Millmeter

MM YEN, MM¥【単位】 百万円 ローマ数字の1,000 = M 由来し、M×M＝百万との説がある。ローマ数字の正しい表記方法では MM は 2,000 を意味する ［関連］k¥, M¥, MM¥

MMA【化合物】 メチルメタクリレート methyl methacrylate

mmAq【単位】 圧力単位。水柱ミリメートル、水柱ミリ、ミリアクア mmH_2O とも表記。1mmAq = 約9.8Pa

MMCF【単位】 100万立方フィート million cubic feet 1MMCF = 28,000 m^3 ［関連］CCF, MCF, MMCF, BCF, TCF

mmH_2O【単位】 圧力単位。水柱ミリメートル、水柱ミリ、ミリアクア mmAq とも表記

mmHg【単位】 圧力単位。水銀柱ミリメートル ミリマーキュリー、ミリ水銀、ミリ・エイチ・ジー 760mmHg =1気圧＝約1,013hPa。Hg は水銀（mercury）の元素記号

MMI 機械と人間の間での情報交換手段、機器 Man Machine Interface

MMLS MMLS方式（Shell）Moveable Modular Liquefaction System

MMM【会社名】スリーエム工業㈱ Three-M Industry

MMO 金属酸化物被覆 Mixed metal oxide

MMS モービルマッピングシステム Mobile Mapping System

MNP【化合物】 N-メチルピロリドン N-methylpyrrolidone

M/O 郵便為替 money Order

MOA【契約】 合意覚書、合意書、協定、契約書 Memorandum Of Agreement

自然の中に生き、自在なコントロールが新しい流れをつくっていきます。

アクチュエータ部門がめざすのは、独自性と自動的にコントロールするチカラを併せ持つ「自」の創造。
エネルギーを暮らしに導くための要として大切な役割を担うバルブコントロール。頭脳を持ったアクチュエータ＜電子バルコン＞の自在なコントロールが新しい流れを創ります。

超精密とメカトロメーションを追求する

西部電機株式会社
https://www.seibudenki.co.jp/sanki/　ＴＥＬ：092-941-1507

MOA【契約】 契約書 Memorandum of Agreement

MOC 変更管理 Management Of Change

MOD 英国防衛省 MINISTRY OF DEFENCE

MOD 防衛省（日本） Ministry of Defence

MOD 規格を修正している modified

MODEC【会社名】 三井海洋開発㈱ MODEC, INC.

MOE ミャンマーエネルギー省 Ministry of Energy

MOF 金属有機構造体 Metal Organic Frameworks

MOF 財務省（日本） Ministry of Finence

MOGE【会社名】国営ミャンマー・オイル＆ガス社 Myanma Oil and Gas Enterprise

MOIM 鉱工業省（イラク） Minstry of Industry & Minerals

MOL 【会社名】㈱商船三井 Mitsui O.S.K. Lines, Ltd

MOM 議事録 Minutes of Meeting

MOM シンガポール労働省 Ministry Of Manpower

MOM サウジ石油鉱物資源省 Ministry of Petroleum and Minerals Resources

MOP 京都議定書締約国会合 meeting of the Parties [関連] COP, UNFCCC, FCCC, IPCC

MOQ 最低発注数量 Minimum Order Quantity

MOS 砂混合スラッジ Mixed oily sludge

MOSMS 経営に資する戦略的マネジメントシステム Maintenance Optimum Strategic Management System

MOSS モス方式 ノルウェーの MOSS ROSENBERG 社

MOU 覚え書き Memorandum Of Understanding

MOV 自動ゲートバルブ Motor Operated Valve

MOWE サウジアラビア水電力省 Ministry of Water and Electricity

MP 予防保全 Maintenance Prevention

MP【配管材料】 中圧 Middle Pressure

MP メカニカルパルプ Mechanical Pulp

MPA マレーシアの石油化学工業会 Malaysian Petrochemicals Association

MPC メチルフェニルカーボネート Methyl Phenyl Carbonate

MPMR サウジ石油鉱物資源省 Ministry of Petroleum and Minerals Resources

mPPE（または mPPO）【化合物】 変性ポリフェニレンエーテルまたは変性ポリフェニレンオキサイド

MPPT 最大電力点追従機能 Maximum Power Point Tracking

MPRO 中圧 RO [関連]RO

MPT 磁粉（磁気）探傷検査 Magnetic Particle Test MT と同意語 [関連] EC, ET, PT, PW, MPT, MT, MC, MY, UT, RT

MPZ【拡張子】㈱構造システム DRA-CAD

MQ 保全段階の品質 Maintenace Quality

MR 複合現実感 Mixed Reality

MR 材料購入（引合）仕様書 Material Requisition

MRAM モンゴル鉱物資源庁 Mineral Resources Authority of Mongolia

MRCA 包括的研究開発契約書 Master Research Collaboration Agreement

MRE【会社名】旧三菱レイヨンエンジニアリング㈱ Mitsubishi Rayon Engineering Company, Limited

MRF メンブレン・リフォーマー Membrane Reformer 水素分離型改質器

MRI 磁気共鳴画像法 Magnetic Resonance Imaging

MRO 補充用サプライ用品 Maintenance, Repair and Operations

MRS 監視付回収可能貯蔵 Monitored Retrievable Storage

MRV 測定、報告、検証 Measurement, Reporting and Verification

MS メカニカル防振器 Mechanical Snubber

MS【会社名】 マイクロソフト Microsoft

MSc、M.Sc、M.S. 工学修士 A Master of Science

MSDS 化学物質安全性データシート Material Safety Data Sheet 欧州では SDS、中国では CSDS と称する

MSE マイクロスラリージェットエロージョン Micro Slurry-Jet Erosion

MSE 平均二乗誤差 Mean Square Error ［関連］ MSE, RMSE

MSF 多段フラッシュ法 Multi Stage Flash

MSK メドヴェーデフ・シュポンホイアー・カルニク震度階級 Medvedev-Sponheuer-Karnik scale 作者名の頭文字

MSPR【航空・宇宙】多目的小型実験ラック Multipurpose Small Payload Rack

MSRE 溶融塩実験炉 Molten-Salt Reactor Experiment

MSS 米国バルブ継手標準 Manufacturers Standardization Society

MSSP マネージド・セキュリティ・サービス・プロバイダ Managed Security Service Provider

MSW 最小肉厚 Minimum Sound Wall thickness

MT【配管材料】 磁粉（磁気）探傷検査。MPT と同意語 Magnetic（Particle）Test 検査 [関連] EC, ET, PT, PW, MPT, MT, MC, MY, UT, RT

MTC ASME の Technical 委員会の一つ Materials Technical Committee

MTBE【化合物】 メチルターシャリーブチルエーテル Methyl Tertiary Butyl Ether ガソリンのオクタン価向上剤

MTBF 平均故障間隔 Mean Time between Failures

MTG メタノールを原料としてガソリンを製造するプロセスおよび製品の総称 Methanol To Gasoline [関連] GTL, CTL, BTL, GTG, MTG

MTMS【化合物】メチルトリメトキシシラン methyltrimethoxysilane

MTO 材料集計 Material Take-off [関連] BM, BOM.BQ, MTO

MTO メタノールを原料としてオレフィンを製造するプロセスおよび製品の総称 Methanol To Olefin

MTOE【単位】石油換算百万トン (million) tonne of oil equivalent

Mtpa【単位】百万トン / 年 Million Tonnes per Annum

MTSA 多変量時系列パターン分析 Multivariate Time series Shape Analysis

MTTF 平均故障寿命 Mean Time to Failure

MTTR 平均修理時間 mean time to recovery

MV 制御操作信号 Manipulated Variable 制御系において制御量を支配するために制御対象に加える量 [関連] MV, PV, SV

MVV なすべきこと、あるべき姿、やるべきこと Mission Vision Value

MVC モデル・ビュー・コントロール Model-View-Control

MWP 最大使用圧力 Maximum Working Pressure

MWSC モルディブ水道会社 Male'Water and Sewerage Company Private Limited

MY 極間法磁粉探傷検査 Yoke Method Magnetic Particle Inspection

N

N（NPL）【配管材料】 ニップル Nipple 管継手

N₂【化合物】 窒素 Nitogen

N/A 該当しない not applicable

N/A、#N/A 使用できない。データがない #N/A は Excel でのエラー表示 not available

NACE 米国腐食防食学会 National Association of Corrosion Engineers

NAFTA 北米自由貿易協定 North American Free Trade Agreement

NAGPF　北東アジアガス＆パイプライン・フォーラム
（国際会議）　Northeast Asian Gas & Pipeline Forum
NAKS　日本鉄筋継手協会規格
NIPPON ASSETSU KYOKAI Standard
日本鉄筋継手協会；Japan Reinforcing Bar Joints Institute
旧：日本圧接協会
NAM【会社名】ネーデルランセ・アールドオイリー・マートス
カパイ [蘭] The Nederlandse Aardolie Maatschappij B. V.
NAMUR　ナムール規格 the Normenarbeitsgemeinschaft für
Mess-und Regeltechnik
NAOC【会社名】ナイジェリア・アジップ・オイル社 Nigerian
Agip Oil Company
NAPA　米国行政学会
National Academy of Public Administration
NASA　アメリカ航空宇宙局
National Aeronautics and Space Administration
NASDA　宇宙開発事業団
NAtional Space Development Agency of japan
宇宙航空研究開発機構に統合　［関連］JAXA
NATM　新オーストリアトンネル工法 New Austrian Tunneling
Method
NATO　北大西洋条約機構　North Atlantic Treaty Organization
ナトー（英語ではネイトー）　アメリカとヨーロッパ諸国で
結成された西側軍事同盟。一部国では "OTAN" と略す
NAWAPA　北米水電力連盟　North American Water and Power
Alliance
N.B.　注記　Nota Bene
NB【配管材料】ノンボンネット　Non-Bonnet
NBBI　全米圧力容器検査官協議会 The National Board of
Boiler and pressure vessel Inspectors
NBCL【会社名】日本褐炭液化㈱
Nippon Brown Coal Liquefaction Co.,Ltd.
NBO　自然結合軌道 natural bond orbital
NBP　英国の天然ガス市場価格　National Balancing Point
NBP　非生分解性バイオマスプラスチック Non-biodegradable/
Bio-based Plastics
NBR【化合物】ニトリルゴム、ニトリルブタジエンゴム
Acrylonitrile-Butadiene Rubber
N.C.　常時閉形 Normally Close
NCE　【会社名】日本防蝕工業㈱
Nippon Corrosion Engineering

電気防食・被覆防食・
調査診断の
プロフェッショナル

日本防蝕工業株式会社

〒144-8555 東京都大田区南蒲田 1-21-12（昭和ビル）
TEL:03-3737-8441　FAX:03-3737-8459
http://www.nitibo.co.jp/

NCG　非凝縮性ガス Non Condensable Gas
NCF***TB【JIS 鉄鋼】熱交換器用継目無ニッケルクロム鉄合
金管　Nickel, Chromium, Ferrum, Tube, Boiler
JIS G 4904
NCF***TF【JIS 鉄鋼】加熱炉用鋼管

Nickel, Chromium, Ferrum, Tube, Fired Heater
JIS G 3467
NCF***TP【JIS 鉄鋼】配管用継目無ニッケルクロム鉄合金管
Nickel, Chromium, Ferrum, Tube, Pipe
JIS G 4903
NCG　非凝縮性ガス　Non-Condensable Gas
NCR　米国原子力規制委員会 Nuclear Regulatory Commission
NCR　不適合報告書 Nonconformity Report
NCTC　米国国家テロ対策センター The National
Counterterrorism Center
ND　不検出、または計測限界値 Not Detected
NDA【契約】秘密保持契約　Non-Disclosure Agreement
NDC　国が決定する貢献 Nationally Determined Contribution
NDE　非破壊調査、非破壊試験 Non Destructive Examination
NDF　原子力損害賠償・廃炉等支援機構　Nuclear Damage
Compensation and Decommissioning Facilitation Corporati
NDH-HT　非拡散性水素除去熱処理 Non-Diffusive Hydrogen
desorption Heat Treatment
NDI　非破壊検査　Non-Destructive Inspection
NDIS　日本非破壊検査協会（JSNDI）規格
Non-destructive Inspection Standard
JSNDI；The Japanese Society for Non-destructive Inspection
NDL　国立国会図書館　National Diet Library
NDRC　中国国家発展改革委員会 National Development and
Reform Commission
NDS　防衛省規格（防衛省技術研究本部制式規格課）
National Defence Standard
NDT　非破壊検査　Non destructive Testing
NDV【会社名】日本ダイヤバルブ㈱
Nippon Daiya Valve Co., Ltd.

NDV

日本ダイヤバルブ株式会社

〒140-0005
東京都品川区広町一丁目3番22号
TEL：03-3490-4801　FAX：03-3490-7950
http://www.ndv.co.jp/

NEA　原子力機関　Nuclear Energy Agency
NEB　カナダ国家エネルギー委員会　National Energy Board of
canada
NEC　米国電気規定。NFPA が作成
National Electric Code　［関連］NFPA
NECA　日本電気制御機器工業会規格
Nippon Electric Control equipment industry Association
NEDO　新エネルギー・産業技術総合開発機構
New Energy and Industrial Technology Development
Organization
NEE　端部効果の考慮のない従来の解析手法 No End Effects
NEF　新エネルギー財団　New Energy Foundation
NEFCO　ノルディック環境ファイナンス共同体
Nordic Enviroment Finance Corporation
NEL　ナショナル・エンジニアリング・ラボラトリ（英国）
National Engineering Laboratory

NEMA　米国電機工業会
　　National Electrical Manufacturers Association
NEQ　規格と同等でない　not equivalent
NERC　北米電力信頼度協議会
　　North American Electricity Reliability Council
NET　次世代 Web 利用ソフト連携プラットホーム　.NET
NETIS　国土交通省新技術情報提供システム New Technology
　　Information System
NETL　国立エネルギー技術 研究所（米国）　National Energy
　　Technology Laboratory　米エネルギー省 (DOE) 傘下の研究所
NEXCO【会社名】西日本高速道路・中日本高速道路・東日本
　　高速道路　Nippon Expressway Company　ネクスコ
NFK【会社名】南国フレキ工業㈱ 社名 Nangoku Fureki Kogyo
　　より　英社名は Nangoku Flexible Hose Industry Co.,Ltd
NFPA　米国防火協会　National Fire Protection Association
　　全世界の災害防止のため、科学的見地に基づいた規格作りや
　　調査・教育を目的とする世界規模の非営利団体　［関連］NEC
NFPAD　アフリカ開発のための新パートナーシップ New
　　Partnership for Africa's Development
NF 膜　ナノ濾過膜、ナノフィルター　Nanofiltration membrane
NG　天然ガス　Natural Gas　［関連］LNG, NGL
NGC 【会社名】 トリニダード・トバゴ国営ガス会社
　　National Gas Company of Trinidad and Tobago Limited
NGH【化合物】 天然ガス・ハイドレート　Natural Gas Hydr
NGL【化合物】 天然ガス液、天然ガソリン Natural GasLiquids
　　［関連］LNG, NG, NGL
NGNN　ノースロップ・グラマン・ニューポート・ニューズ造
　　船所　Northrop Grumman Newport News
NGO　非政府組織　Non-Governmental Organization
NGPL　天然ガスプラント液 Natural Gas Plant Liquid
NGV　天然ガス自動車 Natural Gas Vehicle
NHK　日本放送協会　Nippon Hoso Kyokai
NHK【会社名】 日本発条、ニッパツ
　　Nippon Hatsujo Kabushikigaisha
NHP　国家水利用計画（スペイン）
　　Spanish National Hydrological Plan
NIES　新興工業経済地域　Newly Industrializinng Economies
NIGC【会社名】 イラン国営ガス会社
　　National Iranian Gas Company
NIM　LCN モジュールの一つ。LCN ネットワークと UCN ネッ
　　トワークとの間のインターフェイスとして使用
　　Network Interface Module
NIBMY　忌避施設建設等に対する近隣住民の反対運動 Not In
　　My Back Yard
NIMS　物質・材料研究機構
　　National Institute for Materials Science
NIOC【会社名】 イラン国営石油会社
　　National Iranian Oil Company
NIORDC【会社名】 イラン国営石油精製販売会社
　　National Iranian Oil Refining & Distribution Company
　　NIORDC 傘下の油槽所会社
NIRO　新産業創造研究機構
　　The New Industry Research Organization
NISOC【会社名】 イラン南部石油生産会社
　　National Iranian South Oil Company
NIST　アメリカ国立標準技術研究所
　　National Institute of Standards and Technology
NK RULES　日本海事協会規格
　　Nippon Kaiji Kyokai　日本海事協会の通称「ClassNK」、「NK」
NLP　夜間発着訓練　night landing practice
NLS【会社名】 旧：ニイガタ・ローディング・システムズ
　　Niigata Loading Systems, Ltd.
N・m 【単位】トルク（ねじり力）の SI 系単位。newton metre「N
　　m」とも書く。　1N・m=0.102kgf・m=0.738lbf・ft

NMOC【会社名】 旧日石三菱 ㈱ NIPPON MITSUBISHI OIL
CORPORATION
NMR　核磁気共鳴 Nuclear Magnetic Resonance
NNP　国民純生産　Net National Product
　　［関連］GDE, GDI, GDP, NNP, GNE, GNI, GNP
NNPC【会社名】 ナイジェリア国営石油会社
　　Nigerian National Petroleum Corporation
NNS　ニューポート・ニューズ造船所　Newport News
　　Shipbuilding
NO.【配管材料】 数＆番号　Number
N.O.　常時開形 Normally Open
NOAA　米国国立海洋大気管理局
　　National Oceanic and Atmospheric Administration
NOC【会社名】 旧：新日本石油。略称「新日石」
　　Nippon Oil Corporation　［関連］JX, JXTG, ENEOS
NOC【会社名】 国営石油会社の総称　National Oil Company
NOC【会社名】 イラク北部原油生産会社　North Oil Company
NOC【会社名】 リビア国営石油会社　National Oil Corporation
NOEC　無影響濃度 No Observed Effect Concentration
NOEL　許容量　Non Effect Level
NOM.【配管材料】 呼び　Nominal
NON【配管材料】 無し　None
NON-ASB【配管材料】 ノンアスベスト　Non-Asbestos
NOx【化合物】 窒素酸化物の総称　nitrogen oxide
NPC【会社名】 イラン国営石油化学会社
　　National Petrochemical Company
NPO　非営利組織　Non-Profit Organization
NPRA　米国石油化学・石油精製業者協会
　　National Petrochemical & Refiners Association
NPRA　アラスカ国家石油保留地 National Petroleum Reserve-
　　Alaska
NPRC 【会社名】 （旧）新日本石油精製。略称「新日精」
　　Nippon Petroleum Refining Company
NPT　核拡散防止条約
　　Treaty on the Nonproliferation of Nuclear Weapons
NPS　公称パイプサイズ (inch) Nominal Pipe Size
NPS　新政策シナリオ　New Policies Scenario
NPS【配管材料】（ANSI）平行管用ねじ National Pipe Threads
　　Straight
NPSH　有効吸込ヘッド　Net Positive Suction Head
　　ポンプが、キャビテーションを起すか際の基準となるヘッド
NPSH req.　必要有効吸込ヘッド
　　Required Net Positive Suction Head
　　ある運転状態において、キャビテーションによる性能低下を
　　避けるためにポンプとして必要な吸込みヘッド
　　NPSH re と表記することもある
NPSHA　有効吸込ヘッド　Net Positive Suction Head Available
　　ポンプが、キャビテーションを起す際に、ポンプ基準面にお
　　いて、液圧がもつ全圧が液体のその温度における飽和蒸気圧
　　より幾ら高いかをヘッドで表したもの
　　NPSH av と表記することもある
NPT【配管材料】 （ANSI）テーパ管用ねじ
　　National Pipe Threads Taper
NPV　正味現在価値　Net Present Value　［関連］IRR
NR 【化合物】 天然ゴム　Natural Rubber
NRC　アメリカ合衆国原子力規制委員会　Nuclear Regulatory
　　Commission
NREL　米国国立再生可能エネルギー研究所 The National
　　Renewable Energy Laboratory
NRG　中性子ラジオグラフィ　Neutron Radiography
NRIM CDS　金属材料技術研究所クリープデータシート
　　NRIM Creep Data Sheet　旧：科学技術庁金属材料技術研究
　　所、独立行政法人物質・材料研究機構
NRL 【会社名】 パキスタン国営石油精製会社

National Refinery Ltd.
NRPB　英国放射線防護庁
National Radiological Protection Board
NRW　独ノルトライン＝ヴェストファーレン州 Nordrhein-
Westfalen
NSC　【会社名】 日本製鉄　Nippon Steel Corporation
NSEC　【会社名】 日鉄エンジニアリング
Nippon Steel Engineering Co., Ltd.
NSENG　【会社名】(旧) 新日鉄住金エンジニアリング㈱
Nippon Steel & Sumikin Engineering Co., LTD.
NSF　アメリカ国立科学財団　National Science Foundation
NSF　米国国立衛生財団、国際衛生財団
National Sanitation Foundation
米国の食品、飲料関係機器、衛生関連機器標準化機関
NSR　北極圏航路　Northern Sea Route
NSSC　【会社名】 日鉄ステンレス㈱
Nippon Steel Stainless Steel Corporation
NSSMC　【会社名】(旧) 新日鐵住金㈱ Nippon Steel & Sumitomo
Metal Corporation
NTECK　National Technology Center for Kuwait
NTP　ネットワーク・タイム・プロトコル
Network Time Protocol

NUCIA　原子力発電情報ライブラリー
NUClear Information Archives
NVE　ノルウェー 水資源・エネルギー（管理）庁
Norwegian Water Resources and Energy Directorate
NVLAP　試験所認定プログラム National Voluntary Laboratory
Accreditation Program [関連]NIST
NVQ　国民の職業能力基準　National Vocational Qualifications
NW　【配管材料】 ノズルウエルド　Nozzle Weld
NWRI　国立水研究所（カナダ）
National Water Research Institute
NWS　北西大陸棚　North West Shelf
NWS　【会社名】ノルディックウォーターサプライ Nordic
Water Supply ASA
NWT　中性水処理 Neutral Water Treatment
NW·W/RP　【配管材料】 補強版付ノズルウエルド
Nozzle Weld With Reinforced Pad
NYMEX　ニューヨーク商品取引所
New York Mercantile Exchange　エネルギーや金属に強く、
原油先物の WTI は世界の原油価格指標
NZE　2050 年ネットゼロエミッション (IEA) Net-Zero
Emissions by 2050

検査技術

定価2,300円（本体2,091円＋税10%）／年間購読料・年12冊24,000円（税込）

「検査技術」は、装置、設備、構造物を中心とした第一線で活躍する検査技術者の実務に役立つ情報を提供しています。検査から試験、評価、寿命予測までを扱い、その基礎知識、ハイテク技術、現場での技術課題、各種先端機器や関連規格の紹介等、幅広い内容を編集し、これからの検査技術の普及と発展をめざす技術誌です。

購読のお申し込みは **フリーコール 0120-974-250**

https://www.nikko-pb.co.jp/

日本工業出版㈱ 販売課

〒113-8610　東京都文京区本駒込6-3-26　TEL. 03-3944-8001　FAX. 03-3944-6826
E-mail：sale@nikko-pb.co.jp

O

O₂ 【化合物】 酸素　Oxyen
OAPEC　アラブ石油輸出国機構
　　Organization of Arab Petroleum Exporting Countries
OAW　酸素アセチレンガス溶接　oxyacetylene welding
OBC　海底受振ケーブル Ocean Bottom Cable
OBE　運転基準地震 Operating Basis Earthquake
OBJ　オブジェクト (形式) object
OBS　海底地震計 Ocean Bottom Seismograph
OBM　油系掘削泥水 Oil based mud
OCH（法）有機ケミカルハイドライド法 Organic Chemical
　　Hydride Method
OCM　メタン酸化カップリング Oxidative Coupling of Methane
OCR　光学式文字読取装置　Optical Character Reader
OCR　直接脱硫装置　Onstream Catalyst Replacement
OCS　油汚染土壌 Oil contaminated soil
OCT（OCTG）【配管材料】オクタゴナル　Octagonal
　　ガスケット
OD【配管材料】外径　Outside（Outer）Diameter
　　[関連] ID, DIA
ODA　政府開発援助　Official Development Assistance
ODA　顕微鏡で黒く見える疲労欠陥領域 Optically Dark Area
ODP　オゾン破壊係数　Ozon Depletion Potential
ODP　国際深海掘削計画　Ocean Drilling Program
ODS　実稼働（解析）Operating Deflection Shapes
OEB　職業曝露バンド　Occupational Exposure Band
OECD　経済協力開発機構
　　Organization for Economic Co-operation and Development
OEL　作業者曝露許容限界　Occupational Exposure Limit
OEM　相手先商標での生産
　　Original Equipment Manufacturing
Off-JT　職場を離れての教育訓練　　[関連] Off-JT, OJT
　　OFF the Job Training
OG【会社名】大阪瓦斯㈱。通称「大阪ガス」、「大ガス」
　　Osaka Gas Co., Ltd.
OGE【会社名】大阪ガスエンジニアリング㈱
　　通称「大ガスエンジ」Osaka Gas Engineering Co., Ltd.
OGJ　オイル＆ガス ジャーナル誌　Oil & Gas Journal
OGP　国際石油・天然ガス生産者協会
　　International Association of Oil & Gas Producers
OH　オーバーホール　Overhaul　[関連]OVHL
OHCHR　国際連合人権高等弁務官事務所
　　Office of the United Nations High Commissioner for Human
　　Rights
OHP　オーバーヘッドプロジェクタ　Over Head Projecter

OHSAS　労働安全衛生に関する国際規格
　　Occupational Health and Safety Assessment Series
OHSMS　労働安全衛生マネジメントシステム Occupational
　　Health & Safety Management System
OIES　オックスフォード・エネルギー研究所　Oxford Institute
　　for Energy Studies
OJT　仕事を通じての指導・育成　On the Job Training
　　[関連] Off-JT
OLE　オブジェクトのリンクと埋め込み Object Linking and
　　Embedding
OLM　オイルリークモニタ　Oil Leak Monitor
OLT　トスカーナ LNG 受入基地 Offshore LNG Toscana
O&M　運転と保守　Operation & Maintenance
OMR　オイル・マーケット・レポート　Oil Market Report
OMV【会社名】OMV AG [墺] Österreichische
　　Mineralölverwaltung
ONGC 【会社名】インド石油天然ガス公社　Oil and Natural
　　Gas Corporation Limited
OOC【会社名】オマーン国営石油会社　Oman Oil Company
OP　大阪湾最低潮位 OP=TP+1.3m Osaka Peil [関連]
　　AP,OP,TP,KP,GL
OPC　計測・制御システムのためのインターフェース OLE for
　　Process Control
OPC-UA　高信頼の産業通信用のデータ交換標準 OLE for
　　Process Control Unified Architecture
OPCW　化学兵器禁止期間
　　Organization for the Prohibition of Chemical Weapons
OPDC【会社名】イラク石油製品物流会社
　　Oil Product Distribution Co.
OPE【図面記号】運転　Operation
OPEC　石油輸出国機構
　　Organization of Petroleum Exporting Countries
OPEX　運用コスト、運用維持費
　　OPerating EXpenditure , OPerating EXpense
　　[関連] CAPEX
OPP　二軸延伸ポリプロピレン biaxial Oriented PolyPropylene
OQ　運転段階の品質 Operation Quality
OQ　運転時適格性評価 Operational Qualification
OR【配管材料】外輪　Outer Ring　ガスケット
ORC　オーガニックランキンサイクル Organic Rankine Cycle
ORC【会社名】オマーン石油精製会社
　　Oman Refinery Company
OREDA　設備の信頼性と保全データ（ISO14224）
　　Offshore Reliability Data
ORNL　オークリッジ国立研究所 Oak Ridge National
　　Laboratory

P260型減圧弁等の自力式の調整弁は、
外部エネルギを必要としないエコバルブです。
フシマンは、創業以来一世紀以上、自力式調整弁をつくり続け、
省エネとCO₂削減に貢献しています。

事業内容 ●自動調整弁、熱管理関連機器の製造・販売・保全サービス ●制御装置など計装システムの提言と構築
Best One のものづくり ── ISO 9001・14001・27001 認証取得 [KHK-ISO Center]

凧 フシマン株式会社

東京本社：TEL(03)5767-4200　大阪支社：TEL(06)4308-8805　福島工場：TEL(0247)61-2771
https://www.fushiman.co.jp

ORV　オープンラック式気化器　Open Rack Vaporizer
　［関連］SMV, SCV
OSA　オーダーソーティングアパーチャー Order sorting aperture
OSBL　オフサイト　OutSide of Battery Limit
OSDP　オル・シャービー・ドーンのパラメータ Orr-Sherby-
　Dorn parameter
OSHA　アメリカにおける労働安全衛生に関する法律
　Occupational Safety and Health Act
OSHMS　安全衛生マネジメントシステム
　Occupational Safety and Health Management System
OSI　運転中の検査　On stream inspection
OSK【会社名】　オクダソカベ　Okuda Sogabe Co., Ltd.
OSNB【配管材料】　外ねじヨーク無し型
　Outside Screw Non-Bonnet　バルブ
OSP　公式販売価格　Official Selling Price
OSPB　浮上油回収後のスラッジ Oily sludge pit bottoms
OS&Y【配管材料】　外ねじヨーク型
　Outside Screw & Yoke Type　バルブ
OT　オペレーショナルテクノロジー
　Operational Technology
OT　酸素処理 Oxygenated Feed-Water Treatment
OTA　米国議会技術評価局 Office of Technology Assessment
OTC【会社名】　イラン国営石油基地会社　Oil Terminals
　Company
OTEC　海洋温度差発電 Ocean Thermal Energy Conversion
OTS　運転訓練シミュレータ Operator Training Simulator
OUIO　所有者／使用者検査機関 Owner-User Inspection
　Organization
OVHL　オーバーホール　Overhaul　[関連]OH
OVL【会社名】ONGC の子会社 ONGC ヴィデッシュ ONGC
　Videsh Limited

P

P（PIP/PLG）【配管材料】　管＆プラグ　Pipe & Plug
P3【会社名】Precision Piping Products LLC
p.a.　1 年につき、1 年当たり、年率　per annum　ラテン語
PA【図面記号】　圧力異常警報計
　Pressure Annunciator（Alarm）
PA【図面記号】　プラント空気　Plant Air　［関連］AP
PA　原因究明 Problem Analysis
PA【化合物】　ポリアミド　polyamide
PA4【化合物】ポリアミド 4 Polyamide 4
PA6【化合物】　ナイロン 6。ポリアミドの 1 種
PA11【化合物】　ナイロン 11。ポリアミドの 1 種
PA12【化合物】　ナイロン 12。ポリアミドの 1 種
PA66【化合物】　ナイロン 66。ポリアミドの 1 種
PAAFRA【会社名】（クウェート）農業漁業資源公社
　Public Authority for Agriculture and Fish Resource Affairs
PaaS　パース Platform as a Service
PAB　建物 Pre-Assembled Building
PAC　【化合物】　ポリ塩化アルミニウム
　polyaluminumchloride
PACE　石炭効率促進のためのグローバルプラットフォーム
　Platform for Accelerating Coal Efficiency
PAFC　りん酸形燃料電池　Phosphoric Acid Fuel Cell
　［関連］AFC, DFC, MCFC, PEFC
PAH【化合物】　多環芳香族炭化水素
　Polycyclic（polynuclear）Aromatic Hydrocarbons
PAI【会社名】（クウェート）産業公社
　Public Authority for Industry
PAJ　石油連盟 Petroleum Association of Japan
PAM　プラント資産管理 Plant Asset Management

PAM　PAM 制御　Pulse Amplitude Modulation
　インバータによるモータの速度制御方式　［関連］PWM
PAM　モンゴル石油公社、モンゴル石油資源庁
　Petroleum Authority of Mongolia
PAPRI　KACST 付属の石油・石油化学研究所（リヤド）
　Petroleum and Petrochemical Research Institute
PAR　パイプラック Pre-Assembled Rack
PAR【化合物】　ポリアリレート　polyalylate
PAR　建屋内静的触媒式水素再結合装置 Passive Autocatalytic
　Recombiner
P-ark　調達の引き合いから発注までの業務管理システム
　Procurement-Activity Record & Knowledge system
PAS　公開仕様書 Publicly Available Specification
PAS　鉄骨 Pre-Assembled Structure
PAU　機器設備 Pre-Assembled Unit
PAUT　フェーズドアレイ超音波探傷 Phased Array Ultrasonic
　Testing
PBC　国際連合平和構築委員会
　United Nations Peacebuilding Commission
PBIID　プラズマイオン注入成膜　Plasma Based Ion
　Implantation & Deposition
PBSC　プロジェクト＆プログラム・バランス・スコアカード
　Project & Program Balanced Scorecard
PBR　株価純資産倍率　price book-value ratio
PBS　プラント・ブレークダウン・ストラクチャ Plant
　Breakdown Structure
PBS【化合物】　ポリブチレンサクシネート Polybutylene
　succinate
PBT　難分解性で高蓄積性及び毒性を有する物質　Persistent
　Bioaccumulative and Toxic
PBT(PBTB)【化合物】　ポリブチレンテレフタレート
　polybutyrene terephthalate
PBX　構内電話交換機　Private Branch eXchange
PC　パーソナルコンピュータ　Personal Computer
PC【図面記号】　圧力調節計　Pressure Controller
PC　プレストレストコンクリート　Pre-Stressed Concrete
PC　プレキャストコンクリート　Precast Concrete
PC【化合物】　ポリカーボネート　PolyCarbonate
PCC　（CO$_2$ の）燃焼後回収　Post Combustion Capture
PCC　維持規格　Post Construction Code
PCCS　静的格納容器冷却系 Passive Containment Cooling
　System
PCD【化合物】　ポリカーボネートジオール　Polycarbonatediol
PCF　微粉炭燃焼　Pulverized Coal Firing
PCF　配管部品モデルファイル Piping Component File
PCI　オプションボード用バス
　Peripheral Component Interconnect Bus
　米国 Intel 社提唱の業界標準
PCI　微粉炭 Pulverized Coal Injection
PCM　潜熱蓄熱材 Phase Change Material
PCP　多孔性金属錯体 Porous Coordination Polymer
PCPA　PC 管協会規格 Prestressed Concrete Pipe Association
PCR　ピッチサークル半径 Pitch Circle Radius
PCS　プロセス制御システム　Process Control System
pct、pict【図面形式名】　マッキントッシュではもっとも一般
　的な画像ファイル形式
PCTFE【化合物】　ポリクロロトリフルオロエチレン（ポリ三
　フッ化塩化エチレン）　Polychloro Trifluoro Ethylene
PCV　原子炉格納容器 Primary Containment Vessel
PCW【化合物】アルミナファイバー Polycrystalline Wool
PD　PD 制度、資格　Performance Demonstration
PD【規格】発行済み文書　Published Document
PDA　携帯情報端末　Personal Digital Assistant

PDA【図面記号】 差圧警報計
Differential Pressure Annunciator（Alarm）
［関連］dPA, △PA

PDAP【化合物】石化用語辞典 ジアリルフタレート樹脂 diallyl
phthalate resin, diallyl phthalate polymer DAP と同意語

PDC 多結晶ダイヤモンド焼結体 Polycrystalline Diamond
Compact

PDCA 計画、実行、監視（分析／予想）、修正（是正）
Plan, Do, Check, Act

PDCE PDCE 避雷針
Pararyos Desionnizador Carge Electrostatica

PDF 確率密度関数 Probability Density Function

pdf【図面形式名】 電子文書のためのフォーマットの１つ
Portable Document Format

PDI【図面記号】 差圧指示計 Differential Pressure Indicator
［関連］dPI, △PI

PDIA【図面記号】 差圧指示警報計
Differential Pressure Indicating Annunciator（Alarm）
［関連］dPIA, △PIA

PDM 製品情報管理 Product Data Management

PDMS AVEVA 社の３次元プラントエンジニアリングシステム
Plant Design Management System

PDMS【化合物】ポリジメチルシロキサン Poly
dimethylsiloxane

PDO【会社名】 オマーンの原油生産会社
Petroleum Development Oman

PDP 部分従属度 Partial Dependence Plot

PDP プラズマ・ディスプレー・パネル
Plasma Display Panel

PDR【航空・宇宙】予備設計審査会 Preliminary Design Review

PDS インターグラフ社のプラント設計、建設、運転を支援す
るアプリケーション Plant Design System

PDVSA【会社名】 ベネズエラ国営石油会社
Petroleos de Venezuela S. A.

PE【図面記号】 圧力検出端 Pressure Element

PE【化合物】 ポリエチレン Polyethylene

PE【配管材料】 平滑端面 Plain End パイプ、管継手

PE プロフェッショナルエンジニア、技術士
Professional Engineer

PE プロジェクト・エンジニア Project Engineer
［関連］PM, APM, PPM, CPM

PE 製造現場の第一線で業務に従事している社員 Production
Engineer

PEC 石油エネルギー技術センター
Petroleum Energy Center
正式略称は JPEC だが PEC が一般的 ［関連］JPEC

PEC パルス渦電流 Pulsed Eddy Current

PED 圧力機器（容器）指令 Pressure Equipment Directive

PEEK【化合物】 ポリエーテルエーテルケトン
Polyethylene Ether Ketone

PEEQ 相当塑性ひずみ Plastic strain Epsilon Equivalent

PEFC 固体高分子型燃料電池、固体高分子電解質型燃料電池
Polymer Electrolyte Fuel Cell

PEM 固体高分子電解質膜 Polymer Electrolyte Membrane

PEMEX【会社名】 メキシコ国営石油会社
Petroleos Mexicanos

PERT プロジェクトの進行に必要なさまざまな仕事のつなが
りを図化したもの。そのなかで、最も重要な作業（それが遅
れるとプロジェクト全体の完成時期に影響する）をクリティ
カルパス（Critical Path）と呼ぶ
Program Evaluation & Review Technique

PERTAMINA【会社名】 プルタミナ PT. PERTAMINA

PES【化合物】 ポリエーテルサルフォン polyether sulfone

PESR 加圧エレクトロスラグ法／溶解炉／装置
Pressurized Electro Slag Remelting ［関連］ESR

PET【化合物】 ポリエチレンテレフタレート
Polyethylene Terephthalate ［関連］PETP

PETMIN サウジ石油鉱物資源省（上流部門業界での呼称）
Ministry of Petroleum and Minerals Resources

PETP【化合物】 ポリエチレンテレフタレート
Polyethylene Terephthalate ［関連］PETP

Petro China【会社名】 中国石油天然気集団公司（中国石油天
然ガス）。CNPC の上場子会社
China National Petroleum Corporation ペトロチャイナ

PETROBRAS【会社名】 ブラジル国営石油会社
Petroleo Brasileiro S. A. ペトロブラス

PETROMIN【会社名】 サウジ国営の石油鉱業会社
The General Petroleum and Mineral Organization
ペトロミン 現在は投資関連のみ

PETRON【会社名】 ペトロン Petron Corporation
フィリピンの石油会社

PETRONAS【会社名】 マレーシア国営石油会社
Petroliam Nacional Berhad ペトロナス

PETROVIETNAM【会社名】 ベトナム国営石油会社
PETROVIETNAM

PF ポロイダル磁場 Poloidal Field

PF【化合物】 フェノール樹脂 phenolic resin

PF【配管材料】平行管用ねじ（旧 JIS）Flat Pipe Threads

PFA【化合物】 テトラフルオロエチレンパーフルオロアルキ
ルビニルエーテルコポリマー
Perfluoro Alkylvinylether Tetrafluoro Ethylene

PFA 事故分析手法（産総研）Progress Flow Analysis

PFAS ピーファス PFOS、PFOA の総称［関連］PFOS、PFOA

PFBC 加圧流動床燃焼技術／加圧流動床複合発電
Pressurized Fluidized Bed Combustion（Combined Cycle）
加圧された流動床ボイラから発生する蒸気と排ガスにより蒸
気タービンおよびガスタービン各々の発電機を駆動する複合
発電方式 ［関連］APFBC

PFC パーフルオロカーボン Perfluorocarbon
フルオロカーボン（フロン）類の一種で、炭化水素の水素を
全部フッ素で置換したもの

PFD プロセスフローダイアグラム Process Flow Diagram

PFDRP 地震時の配管系に関する EPRI、NCR の研究プロジェ
クト Piping and Fitting Dynamic Reliability Program

PFI 民間資金活用の社会資本整備 Private Finance Initiative

PFI アメリカにおける配管製作・工事に関する規格
Pipe Fabrication Institute Standard

PFI プライベート・ファイナンス・イニシアティブ
Private Finance Initiative
民間資金等の活用による公共施設等の整備等の促進

PFM 確率論的破壊力学 Probabilistic Fracture Mechanics

PFM パルス周波数変調 Pulse Frequency Modulation

PFOA ペルフルオロオクタン酸 perfluorooctanoic acid［関連］
PFAS

PFOS ペルフルオロオクタンスルホン酸
perfluorooctanesulfonic acid［関連］PFAS

PFPW ポリマー圧入攻法が適用された石油随伴水 Polymer
Flood Produced Water

PG【図面記号】 圧力計 Pressure Gauge

PG【化合物】 プロピレングリコール propylene glycol

PGBR プルトニウム増殖炉 Plutonium Generation Boiling
Water Reactor

PGC【図面記号】 プロセスガスクロマトグラフ
Process Gas Chromatograph ［関連］GC

PGSS ガス飽和溶液法 Particle from Gas Saturated Solution

PHA【化合物】 ポリヒドロキシアルカノエート

polyhydroxyalkanoate

PHBH【化合物】 ポリヒドロキシ酪酸−ヘキサノエート共重合ポリマー

PHBV【化合物】 ポリヒドロキシ酪酸−吉草酸共重合ポリマー

PHC プレストレスト高強度コンクリート Prestressed High-strength Concrete

PHCN【会社名】ナイジェリア電力ホールディングス Power Holding Company of Nigeria

Ph.D. 博士 Doctor of Philosophy
Philosophy（哲学）以外の専攻分野でもこの呼称を用いるラテン語

pHd 脱不動態化 pH depassivation pH

PHE プレート式熱交換器 Plate Heat Exchanger

PHV、PHEV プラグインハイブリッド車
Plug-in Hybrid (Electric)Vehicle

P.I.（PRE）耐孔食性指数 Pitting Index

PI【図面記号】 圧力計、圧力検出器 Pressure Indicator

PI 比例＋積分を用いた制御方法
Proportional plus Integral（Control） ［関連］PID

PI 定期的に行う検査 Periodic inspection

PI【化合物】 ポリイミド polyimide

PI プロセス強化 Process Intensification

PIAT 台湾区石油化学工業同業公会
Petrochemical Industry Association of Taiwan

PIB【化合物】 ポリイソブチレン polyisobutylene

PIC【図面記号】 圧力指示調節計
Pressure Indicating Controller

PICFB 加圧内部循環流動床ボイラ
Pressurized Internal Circulating Fluidized-bed Boiler
［関連］ICFB, ICFBC

PICFBC 加圧内部循環流動床ボイラ
Pressurized Internal Circulating Fluidized-bed Combustion
［関連］ICFBC

PID 比例＋積分＋微分を用いた制御方法
Proportional plus Integral plus Derivative（Control）
［関連］PI

PID, P & ID PID（P & ID）ダイアグラム
Piping and Instrument Drawing

PIGS ユーロ圏で経済状態の悪い4カ国（ポルトガル、イタリア、ギリシャ、スペイン） Portugal、Italy、Greece、Spain の頭文字 ［関連］PIIGS

PIHC【会社名】インドネシア国営肥料ププク Pupuk Indonesia Holding Company

PIIGS PIGS＋アイルランドの5カ国 Portugal、Italy、Ireland、Greece、Spain の頭文字 ［関連］PIGS

PIM プロジェクトインフォメーションマネージャー Project Information Manager

PIM 立会い検査前確認会議 Pre Inspection Meeting

PIMS プラント情報管理システム Plant Information Management System

PIV 粒子画像流速測定法 Particle Image Velocimetry

PIW ペトロリアム・インテリジェンス・ウイークリー Petroleum Intelligence Weekly

PJD パウダージェットデポジション（法）Particle Jet Deposition

PKF 平和維持軍 Peace Keaping Force

PKI 電子署名 Public Key Infrastructure

PKK クルディスタン労働者党 Partiya Karkerên Kurdistan

PKO 国連平和維持活動 Peace Keeping Operations

PKP プロジェクト・キー・パーソン Project Key Personnel

PKS パーム椰子種殻 Palm Kernel Shell

PL(法) 製造物責任法 product liability(法)

PL プロジェクトリーダー Project Leader

高品位な測定・検査・品質管理業務をバックアップ!!

株式会社 サンコウ電子研究所

営業品目●膜厚計・結露計・ピンホール探知器・検針器・鉄片探知器・水分計・粘度計

〒213-0026 神奈川県川崎市高津区久末 1677
URL:https://www.sanko-denshi.co.jp E-mail:info@sanko-denshi.co.jp

PLA 樹脂ライニング工業会 Plastics Lining Association

PLA【化合物】 ポリ乳酸 polylactic acid, polylactide

PLC シーケンス制御専畑コンピュータを持ったプログラム調整器 Programmable Logic Controller

PLC 電力線通信 Power Line Communication

PLC 株式会社 public limited company

PLEM マリンホースと接続するための分岐配管 Pipe Line End Manifold

PLL【会社名】国営パキスタン LNG 社 Pakistan LNG Limited

PLM プラント・ライフサイクル・マネジメント
Plant（Product）Lifecycle Management

PLM 製品ライフサイクル管理 Product Lifecycle Management

pls お願い、プリーズ please

PLUS 高分解能3次元映像法
piezoelectric and laser ultrasonic system

PLV【配管材料】 プラグ弁 PLUG Valve バルブ

PM プロジェクト・マネージャー Project Manager
［関連］APM, PPM, CPM, PE

PM 粒子状物質 Particulate Matter
ディーゼルエンジンから排出される粒子状の物質の総称
［関連］SS, SPM

PM 予防保全 Preventive Maintenance
［関連］EM, RBM, CBM, TBM

pm 午後 post meridiem ラテン語 ［関連］am

PM100 LCN モジュールの一つ。LCN ネットワークと UCN ネットワークとの間のインターフェイスとして使用
Process Manager

PMA プラントのモジュール化 Plant Modular Assembling

PMA プログラムマネジメント・アーキテクト Program Management Architect P2M 資格の1つ

PMAJ 日本プロジェクトマネジメント協会
Project Management Association of Japan
日本プロジェクトマネジメント・フォーラム（Japan Project Management Forum, JPMF）とプロジェクトマネジメント資格認定センター（PMCC）が 2005 年組織統合

PMB 重曹ブラスター Precision Media Blaster

PMBOK モダンプロジェクトマネジメントの知識体系
Project Management Body of Knowledge ピンボック
アメリカの非営利団体 PMI（Project Management Institute）が策定した、モダンプロジェクトマネジメントの知識体系
「A Guide to the Project Management Body of Knowledge」

PMC プロジェクトマネジメント・コーディネータ Project Management Coordinator P2M 資格の1つ

PMC【配管材料】配管材料クラス PipingMaterialClass

pmd ページメーカ File 形式 PageMaker File Type

PME【会社名】 大平洋機工㈱

Pacific Machinery & Engineering Co., Ltd.

PME　サウジ気象環境行政機構
　　Presidency of Meteorology and Environment

PMFC　差圧式マスフローコントローラー Pressure Based
　　Mass Flow Controller

PMgr　プロジェクトマネージャー Project Manager

PMHS【化合物】ポリメチルヒドロシロキサン
　　polymethylhydrosiloxane

PMI　材料識別　Positive material identification

PMI　プロジェクトマネジメント協会
　　Project Management Institute

P-MIND　APES で作成した維持管理データの表示 Pipeline
　　Maintenance Inspection Data（system）[関連]NSPE，APES

PML　プロジェクトマネージャーレベル (認定制度) Project
　　Manager Level

PMMA【化合物】メタクリル樹脂　methacrylate resin

PMP　プロジェクトマネジメントプロフェッショナル
　　Project Management Professional
　　PMI が認定している国際
　　資格

PMP【化合物】ポリメチルペンテンポリマー
　　methylpentene polymer

PMR　プロジェクトマネージャー・レジスタード　Project
　　Manager Registered　P2M 資格の 1 つ

PMS　プロジェクトマネジメント・スペシャリスト　Project
　　Management Specialist　P2M 資格の 1 つ

PMS　プロジェクトマネジメントシステム Project
　　Management System

PMS　配管材料基準　Piping Material Standard

PMSQ【化合物】ポリメチルシルセスキオキサン
　　polymethylsilsesquioxane

PMV　予測温冷感申告　Predicted Mean Vote
　　［関連］PPD

P/N　約束手形　Promissory Note

PNC　動力炉・核燃料開発事業団 Power Reactor and Nuclear
　　Fuel Development Corporation

PNEC　影響を与えない濃度
　　Predicted No-Effect Concentration

PNG　【会社名】パシフィック・ノーザン・ガス（カナダ）
　　Pacific Northern Gas Ltd.

png【図面形式名】画像ファイルの一種
　　Portable Network Graphics

PNP　プラグアンドプレイ Plug and Play

PNT【図面記号】塗装　Painting

PNWLNG　パシフィック・ノースウェスト LNG Pacific
　　NorthWest LNG

PO【契約】注文書　Purchase Order

PO【化合物】プロピレンオキサイド　propylene oxide

PO　酸洗鋼（板）Pickled & Oiled Steel

PoC　コンセプト検証　Proof of Concept

POD　運転法案 Process Operation Diagram

POD　検出確率 Probability of detection

PoF　破損発生確率 Probability of Failure

POM【化合物】ポリアセタール　polyacetal

POP　多孔性有機高分子 Porous Organic Polymer

POPs　残留性有機汚染物質 Persistent Organic Pollutants

POS　販売時点情報管理　Point Of Sales

POS1　パワー・オブ・シベリア（露エネルギープロジェクト）
　　Power of Siberia

POSCO【会社名】ポスコ　POSCO Co.Ltd　韓国最大の製鉄会
　　社。旧「浦項総合製鉄（Pohang Iron and Steel Co., Ltd.）

p.p 代理で per procurationem per pro. とも略す

PP【化合物】ポリプロピレン　Polypropylene

PPA　長期売電契約　Power Purchase Agreement

ppb【単位】10 億分の 1。1ppm=1000ppb　parts per billion
　　［関連］ppm

PPCA　脱石炭連盟 Powering Past Coal Alliance

PPD　予測不快者率　Predicted Percentage of Dissatisfied
　　［関連］PMV

PPE【化合物】ポリフェニレンエーテル
　　polyphenylene ether

PPG【化合物】ポリプロピレングリコール
　　polypropylene glycol

PPL【会社名】パキスタン国営石油会社
　　Pakistan Petroleum Ltd.

PPM　プロジェクト・プロキュアメント・マネージャー
　　Project Procurement Manager
　　［関連］PM, APM, CPM, PE

ppm【単位】100 万分の 1。1%=10000ppm
　　parts per million　［関連］ppb

PPO【化合物】ポリフェニレンオキサイド
　　polyphenylene oxide

PPP　【契約】公民連携　public–private partnership

PPP　ポリプロピレンペーパー　Polypropylene Paper

PPS【化合物】ポリフェニレンサルファイド
　　Polyphenylene Sulfide

PPS　特定規模電気事業者　Power Producer and Supplier
　　IPP とは事業の性格が異なり、需要家に直接、電気を売るこ
　　とができる

PPSU【化合物】ポリフェニルサルフォン　Polyphenylsulfone

ppt【単位】千分の一 parts per thousand

ppt【単位】1 兆分の一 parts per trillion

ppt(x)【図面形式名】Microsoft 社のプレゼンテーション作成
　　ソフト。PowerPoint 用ファイル形式

PQ　性能適格性評価 Performance Qualification

PQ【契約】事前審査　Pre Qualification

PQR　溶接施工試験記録 Procedure Qualification Record

PR　ペン＝ロビンソンの状態方程式 Peng - Robinson

PRA　確率論的リスク評価　Probabilistic Risk Assessments

PRC　プレストレスト鉄筋コンクリート　Prestressed
　　Reinforced Concrete

PRCI　パイプライン研究評議会インターナショナル　Pipeline
　　Research Counsil International

PRCMT　調達　Procurement

Pre-FEED　概念設計 Pre-Front-End Engineering Design

PRE(N)　孔食指数 Pitting Resistance Equivalent（Number）

PREPA　プエルトリコ電力庁 Puerto Rico Electricity Authority

PRESS【配管材料】圧力　Pressure

PRMS　米国石油技術者協会のガイドライン　Petroleum
　　Resources Management System

PRSC　（KISR の）石油研究所
　　Petroleum Research & Studies Center

PRTR　環境汚染物質排出・移動登録制度
　　Pollutant Release and Transfer Register

PRV【図面記号】安全弁　Pressure Relief Valve

(P.S.)　追伸　postscript

PS　発電所　Power Station

PS【化合物】ポリスチレン　Polystyrene

PSA　確率論的安全評価　Probabilistic Safety Assessments

PSA　圧力スイング式吸着（精製）装置
　　Pressure Swing Absorption　［関連］TSA, PTSA

PSB　プロセス安全指標　Process Safety Beacon [関連]AIChE

PSC　ポートステートコントロール　Port State Control

PSC　【契約】生産分与契約　Production Sharing Contract

PSHE　プレート＆シェル式熱交換器 Plate and Shell Heat Exchanger

psi【単位】圧力の単位。ポンド /in^2　Pound per Square Inch

Lbf/in^2 とも表記。1psi= 約 0.07kgf/cm^2= 約 6894Pa
[関連] psia, psig
psia【単位】 psi の絶対圧表記
Pound per Square Inch Absolute　[関連] psi, psig
psig【単位】 psi のゲージ圧表記
Pound per Square Inch Gauge　[関連] psi, psia
PSM　プロセス安全管理工学 Process Safety Management
PSP　ポリスチレンペーパー Polystylene Paper
PSV　プラットフォーム補給船 Platform Supply Vessels
PST　パーシャルストロークテスト Partial Stroke Test
PSU【化合物】 ポリサルフォン polysulfone
PT【図面記号】 圧力発信器 Pressure Transmitter
PT【配管材料】 液体探傷検査、浸透探傷検査、カラ音引チェック（Liquid）Penetrant Test　検査
[関連] EC, ET,PW, MPT, MT, MC, MY, UT, RT
PT【配管材料】 (旧 JIS) テーパ管用ねじ
Pipe Taper Threads
PT　りん酸塩処理 Phosphate Treatment
P-T【配管材料】 圧力-温度 Pressure-Temperature
PTA【化合物】 テレフタル酸 terephthalic acid
[関連] TPA
PTA（溶接） 粉体プラズマ溶接
Plasma Transferred Arc welding
PTC　自己温度制御機能 Positive Temperature Coefficient
PTC　電力生産税額控除制度 Production Tax Credit
PTFE【化合物】【配管材料】 ポリテトラフルオロエチレン（ポリ四フッ化エチレン）Polytetra Fuluoro Ethylene
PTIT　タイの石油化学工業会
Petroleum Insititute of Thailand
PTMG【化合物】 ポリテトラメチレンエーテルグリコール
Poly tetramethylene ether glycol
PTMS【化合物】 フェニルトリメトキシシラン
Phenyltrimethoxysilane
pto(P.T.O.)　裏面次頁に続く　please turn over
PTS　粉体輸送装置 Powder Transfer System
PTSA　圧力・温度スイング式吸着（精製）装置
Pressure and Temperature Swing Adsorption または
Pressure and Thermal Swing Adsorption　[関連] PSΛ, TSA

PTT【化合物】 ポリトリメチレンテレフタレート
Polytrimethylene Terephthalate
PTT【会社名】 PTT ㈱ PTT Public Co., Ltd.
PTZ　パンチルトズーム Panoramac Tilt Zoom
PU【化合物】 ポリウレタン polyurethane
Puf　核分裂性プルトニウム Fissile Plutonium
PUF　ポリウレタンフォーム Poly Urethane Foam
PUR【化合物】 反応性ポリウレタン Reactive Polyurethane
PV　出来高予算 Planned Value to date
PV　プロセス計測値 Process Variable　[関連] MV, SV
PV　太陽光発電 Photovoltaics, Photovoltaic Power Generation
PVA(L)【化合物】 ポリビニルアルコール polyvinyl alcohol
PVC【化合物】【配管材料】 ポリ塩化ビニル
Polyvinyl Chloride　配管材料共通
PVCS　圧力容器規格委員会
Pressure Vessel Codes and Standards [関連]HPI
PVD　物理的気相成長法 Physical Vapor Deposition
PVDC【化合物】 塩化ビニリデン樹脂
vinylidene chloride resin
PVDF【化合物】 ポリビニリデンフルオロエチレン（ポリフッ化ビニリデン）Polyvinylidene Fluoride
PVRC　アメリカ圧力容器研究委員会 Pressure Vessel Research
Council
PVT　圧力、体積、温度 Pressure, Volume, Temperature
p.w.　1 週につき、1 週当たり、毎週　per week
PW【図面記号】 飲料水 Drink Water, Potable Water
[関連] WD
PW　水洗性浸透探傷検査
Water Washable Penetrant Inspection
[関連] EC, ET, PT, MPT, MT, MC, MY, UT, RT
PWBS　プロジェクト WBS Project Work Breakdown Structure
PWHT【配管材料】 溶接後熱処理
Post Weld Heat Treatment　検査
PWM　パルス幅変調 Pulse Width Modulation
インバータによるモータの速度制御方式　[関連] PAM
PWR　加圧水型原子炉 Pressurized Water Reactor
[関連] APWR, BWR, ABWR
PX【化合物】 パラキシレン Para Xylene

化学プラント配管設計の基本
―配管技術者への道しるべ―

筆者の配管設計、プロジェクトマネジメントの経験を基に化学プラント配管設計の考え方について理解できる内容となっており、若手からベテランまで、プラントエンジニアリング産業を担う全ての方々が参考になる書籍です。

■主な内容
●化学プラント配管設計の体験記
●プロジェクトの企画から誕生の基礎知識
●配管設計の業務全般、固有技術
●配管材料の選定
●配管レイアウト
●配管設計カリキュラム　他

日本工業出版㈱　0120-974-250
https://www.nikko-pb.co.jp/　netsale@nikko-pb.co.jp

■著者：石井　泰範
■体裁：A5判448頁
■定価：3,850円（税込）

Q

Q&A　質問と回答　Question and Answer
QC　品質管理　Quality Control
QCD　品質、コスト、納期　Quality, Cost, Delivery
Q.E.D.　数学問題で使われる「証明完了」の意味、ラテン語。「∥／∥」とも表記する　Quod Erat Demonstrandum
　クオド・エラト・デーモーンストランドゥム
QHSE　品質、健康、安全、環境
　Quality, Health, Safety and Environment
Q-H カーブ　ポンプ等の性能曲線　Quanitity Head Curve
　流量（Q）を横軸に、そしてヘッド（H）を縦軸にとって、ポンプの流量とヘッドの関係を表した曲線
QIAJ　日本水晶デバイス工業会規格
　QUARTZ CRYSTAL INDUSTRY ASSOCIATION OF JAPAN
　Standard
QMS　品質マネジメントシステム（品質管理監督システム）
　Quality Management System
QP【会社名】　カタール石油　Qatar Petroleum
QPPTC　ASME の Technical 委員会の一つ　Qualification of Pipeline Personnel Technical Committee
QRA　定量的リスク評価 (管理、アセスメント)　Quantitative Risk Assessment
QTY, QT`Y【配管材料】　数量　Quantity
QVD　検査記録　Quality Verification Document
QVGA　320 × 240 ピクセルの解像度　Quarter VGA
QZSS　準天頂衛星システム Quasi-Zenith Satellite System

R

R【配管材料】　半径　Radius
R【配管材料】　JIS 管用テーパおねじ
RA　リスク分析 Risk Analysis
RaaS　サービスとしてのランサムウェア Ransomware as a Service
rad【単位】　角度の単位　radian　ラジアン
　360 度＝ 2πラジアン
RANS　レイノルズ平均モデル　Reynolds-Averaged NumericalSimulation
RBDM　リスク情報を活用した安全対策の決定 Risk Based Decision Making
RBI　リスク基準検査　Risk Based Inspection
　リスク評価に基づいて検査頻度・個所・項目等を決める方法
　[関連] EM、RBM、CBM、TBM、PM
RBM　リスクベースメンテナンス　Risk Based Maintenance
　[関連] EM、RBI、CBM、TBM、PM
RBS　リソースベーススケジューリング Resource Based Scheduling
RBWR　資源再利用型 BWR　Resource-renewable Boiling Water Reactor
Rc【配管材料】JIS 管用テーパめねじ
RC　鉄筋コンクリート構造　Reinforced Concrete
RC　リスクコミュニケーション　Risk Communication
RCC-M　仏原子力民間規格　Règles de Conception et de Construction des Matériels
RCF　リフラクトリーセラミックファイバー　Refractory Ceramic Fiber
RCIC　原子炉隔離時冷却系 Reactor Core Isolation Cooling system
RCJS　日本電子部品信頼性センター規格
　Standard of Reliability Center for Electronic Components of Japan
RCM　信頼性中心保全方式　Reliability Centered Maintenance
RCP　ロータリーチャネルポンプ　Rotary Channel Pump

銅管継手・ステンレス管継手等
計装資材品一筋
創業 40 有余年を迎えた確かな技術

株式会社 富士ロック

〒 132-0001 東京都江戸川区新堀 2-27-1
TEL:03-3676-2469 ㈹　FAX:03-3676-7332 ㈹
http://www.fujilok.co.jp

R&D　研究開発　research & development
RDF　廃棄物固形化燃料　Refuse Derived Fuel
RDF【配管材料】　レジューシングフランジ　Reducing Flange
RDS【会社名】ロイヤル・ダッチ・シェル　Royal Dutch Shell plc
RDS　重油直接脱硫装置　Residue Desulphurisation
re　〜を参照して　with reference to
RE　ロッドレストレイント Rod Restraint
RE　レジリエンスエンジニアリング Resilience Engineering
REACH　欧州化学物質規制
　Registration Evaluation and Authorization of Chemicals
REDD【図面記号】　冗長化　Redundancy
REDD　森林減少・劣化からの温室効果ガス排出削減 Reduced Emissions from Deforestation and forest Degradation
REM　希土類金属　Rare-Earth Metal
REQ　購入（引合）仕様書　Requisition
RESS　急速膨張法 Rapid Expansion of Supercritical Solution
REV【図面記号】　訂正 訂正・修正　Revision Number
RF【配管材料】　フランジシール面（フランジフェイス面）の形状、レイズドフェース、平面座　Raised Face
　[関連] MF, RJ,TG, FF
RFCC　重油（残油）流動接触分解装置
　Residue Fluid Catalytic Cracking
RFG【化合物】　改質ガソリン　Reformulated Gasoline
RFI　受信障害　Radio Frequency Interference
RFO　残渣燃料油　Residual Fuel Oil
RFP【航空・宇宙】研究提案募集（JAXA) Request for Proposal
RFS　仏原子力基本安全規則 Regles Fondamentales de Surete
RFSU　レディー・フォー・スタートアップ
　Ready for Start-Up
RF-VP　リサイクル硬質ポリ塩化ビニル発泡三層管
　Unplasticized poly（vinyl chloride）（PVC-U）three layer pipes with recycled foamed core
　屋内排水配管用 JIS K 9798　[関連] RS-VU
RGB　加法混色の三原色　Red, Green, Blue
RGP　リファイナーグランドパルプ Refiner Ground Pulp
RH　リジットハンガ Rigid Hanger
RHE(vs.RHE)　可逆水素電極 reversible hydrogen electrode
RI　人工放射性同位元素　Radioisotope
RIDM　リスク情報活用による意思決定 Risk Informed Decision making
RiMM　危険体感教育 Risk Management Method
RING　石油コンビナート高度統合運営技術研究組合
　Research Association of Refinery Integration for Group-Operation
RING・Ⅲ　石油精製高度機能融合技術開発（〜 2009 年度）

RIPI イラン石油研究所
Research Institute of Petroleum Industry
RISCAD リレーショナル化学災害データベース Relational
Information System for Chemical Accidents Database
RITE 地球環境産業技術研究機構
Research Institute of Innovative Technology for the Earth
RJ【配管材料】 リングジョイント Ring Joint Face
［関連］MF, RF, TG, FF
RMOA リスクマネジメントオプション分析
Risk Management Option Analysis
RMP リスクマネージメント法
Risk Management Programme
RMS 二乗平均平方根 Root Mean Square
RMS 遠隔手動操作端 Remote Manual Switch
RMSE 二乗平均平方根誤差 Root Mean Square Error
［関連］MSE
RNG 再生可能天然ガス Renewable Natural Gas
RO 制限オリフィス Restriction Oriffice
RO 膜 逆浸透膜 Reverse Osmosis (Osmotic) membrane
［関連］NF 膜、UF 膜、MF 膜、MBR
ROA 総資本利益率／資産収益率 Return On Asset
ROC 受信者動作特性 (曲線)
Receiver Operatorating Characteristic curve
ROE 株主資本利益率／自己資本利益率 Return On Equity
RoHS ローズ指令
Restriction of the use of certain hazardous substances in
Electronic equipment
ROI 投資収益率／投資回収率 Return On Investment
ROI 関心領域 Region of Interest
RON リサーチオクタン価 Reserch Okthane Number
ROPME 湾岸海洋環境保護機構
Regional Organization for the Protection of the Marine
Environment
ROS ロボット用の OS Robot Operating System
ROT【契約】 回収・保全、運営・管理、移転の略
Rehabilitate Operate Transfer
民間事業者が自ら資金を調達し、既存の施設を改修・補修
（Rehabilitate）し、一定期間（数 10 年）管理・運営（Operate）
を行い資金回収後、公共に施設を移転（Transfer）する
ROTT 常温ガスケット漏洩試験（PVRC が提案）
Room Temperature Tightness Test
ROV 遠隔操作探査機 Remotely operated vehicle
Rp【配管材料】 JIS 平行めねじ（おすねじはテーパねじ）
RP ラピッドプロトタイピング、「迅速な模型製作」
1980 年に日本で発明され、1988 年に実用化された光造形
法 Rapid Prototyping
RPA 自動処理 Robotic Processing Automation
RPE 登録高級技術者 Registered Professional Engineer
RPF 廃棄物固形燃料 Refuse Paper & Plastic Fuel マテリアルリ
サイクルが困難な古紙、プラスチックを原料とした固形燃料
rpm【単位】 回転数（毎分） revolutions per minute
RPMS 遠隔監視システム Remote Plant Monitoring System
RPS 再生可能エネルギーポートフォーリオ基準 Renewable
Portfolio Standards
RSE-M 仏供用期間中検査に関する規格 Règles de Surveillance
en Exploitation des Matériels
RSVP please reply／reply asap
（repondez s'il vous plait／rependez si vite que）
RS-VU リサイクル硬質ポリ塩化ビニル三層管
Unplasticized poly（vinyl chloride）（PVC-U）three layer
pipes with recycled solid core
埋設配管用。JIS K 9797 ［関連］RF-VP
RT【配管材料】 X 線検査（レントゲン写真）、放射線検査

Radiographic Test
［関連］EC, ET, PT, PW, MPT, MT, MC, MY, UT
RTD 測温抵抗体 Resistance Temperature Detector
金属の電気抵抗率が温度に比例して変わることを利用した温
度センサー ［関連］TC
RTJ【配管材料】 リング型ジョイント（面座）
Ring Type Joint Face
RTK-GNSS リアルタイムキネマティック汎地球測位航法衛
星システム Real Time Kinematic-Global Navigation Satellite
System
RTP データ転送プロトコルの一種 Remote Terminal Panel
RTU Remote Terminal Unit
RUMs 格子振動モード Rigid Unit Modes
RV【図面記号】 逃がし弁 Relief Valve
RVM【図面形式名】 AVEVA PDMS 用ファイル
RVP リード蒸気圧 Reid Vapor Pressure
RWE【会社名】 ドイツ大手エネルギー会社
旧社名 Rheinisch-Westfälisches

S

-S【配管材料】 継目無 Seamless パイプ、管継手
S**C【JIS 鉄鋼】 機械構造用炭素鋼鋼材
Steel, **：炭素量 Carbon JIS G 4051
S**CK【JIS 鉄鋼】 機械構造用炭素鋼鋼材
Steel, **：炭素量 Carbon K：はだ焼用 JIS G 4051
SA 重大事故 Severe Accident
SA 状況分析 Situation Analysis
SA1C【JIS 鉄鋼】 溶融アルミニウムめっき鋼板及び鋼帯（耐
熱用） Steel, Aluminium, Commercial（一般用）
JIS G 3314
SA1D【JIS 鉄鋼】 溶融アルミニウムめっき鋼板及び鋼帯（耐
熱用） Steel, Aluminium, Deep Drawn（絞り用）
JIS G 3314
SA1E【JIS 鉄鋼】 溶融アルミニウムめっき鋼板及び鋼帯（耐
熱用） Steel, Aluminium, E:Deep Drawn Extra（深絞り用）
JIS G 3314
SA1F【JIS 鉄鋼】 溶融アルミニウムめっき鋼板及び鋼帯（耐熱
用） Steel, Aluminium, F：等級（超深絞り用） JIS G 3314
SA2【JIS 鉄鋼】 溶融アルミニウムめっき鋼板及び鋼帯（耐候
用） Steel, Aluminium（構造用） JIS G 3314
SA2C【JIS 鉄鋼】 溶融アルミニウムめっき鋼板及び鋼帯（耐
候用） Steel, Aluminium, Commercial（一般用）
JIS G 3314
S(A)A オーストラリア規格協会 Standards (Association of)
Australia
SaaS サース Software as a Service
SABIC【会社名】 サウジアラビア基礎産業公社
Saudi Basic Industries Corporation サビック
SAC 国家標準化管理委員会（中国）
Standardization Administration of the People's Republic of
China
SAD 制限視野回折 Selected area diffraction
SADC 南部アフリカ開発共同体 Southern African Development
Community
SAE【会社名】 英 SAE 社 SIMEC Atlantis Energy
SAE 返信用封筒 self addressed envelope
SAE 米国自動車技術者協会 Society of Automotive Engineers
SAF 持続可能な航空燃料 Sustainable Aviation Fuel
SAGBO 応力誘起粒界酸化 Stress Accelerated Grain Boundary
Oxidation
SAGD SAGD 法 Steam-Assisted gravity Drainage
SAGIA サウジ総合投資院

Saudi Arabian General Investment Authority

SAH　蒸気式空気予熱器　Steam Air preHeater

SAICM　サイカム　Strategic Approach to International Chemicals Management

SAL　無菌性保証水準　Sterility Assurance level

SALM　単錨レグ係留　Single Anchor Leg Mooring

SALT　戦略兵器制限交渉　Strategic Arms Limitation Talks

SAM　配管支持点の相対変位　Seismic Anchor Motion

SAM　超音波顕微鏡　Scanning Acoustic Microscope

SAMREF　サウジ ヤンブーにあるサウジアラムコ・モービル合弁製油所　Saudi Aramco Mobil Refinery Co., Ltd.

S(A)NZ　ニュージーランド規格協会　Standards (Association of) New Zealand

SAN【化合物】　アクリロニトリルスチレン共重合体 Styrene Acrylonitrile Copolymer

SANITARY　サニタリー管　Sanitary

SAORC【会社名】　アラク製油所（イラン国営石油会社の製油所）Shazand Arak Oil Refining Co.

SAP【化合物】　高吸水性樹脂　super absorbent polymer

SAR【航空・宇宙】合成開口レーダ Synthetic Aperture RADAR

SAS　ステンレス協会規格 Japan Stainless Steel Association Standard

SASE 切手を貼った返信用封筒 self-addressed stamped envelope

SASREF　サウジ ジュベイルにあるサウジアラムコ・シェル合弁製油所　Saudi Aramco Shell Refinery Company

SAW　サブマージアーク溶接　Submerged Arc Welding ［関連］ARC, FCAW, MAG, MIG, TIG, GMAW, GTAW, SMAW

SAWS　国家安全生産監督管理総局国際合作司（中国）　State Administration of Work Safety

SB　眼鏡閉止板　Spectacle Blind

SB【配管材料】　ねじ込み形ボンネット　Screwed Bonnet バルブ

SB【JIS 鉄鋼】　ボイラ及び圧力容器用炭素鋼及びモリブデン鋼鋼板　Steel, Boiler　JIS G 3103

SB【化合物】　スチレンブタジエン　Styrene Butadiene

SB***M【JIS 鉄鋼】　ボイラ及び圧力容器用炭素鋼及びモリブデン鋼鋼板　Steel, Boiler, Molybdenum　JIS G 3103

SBA　電池工業会（BAJ）規格（社団法人）Standard of Battery Association of Japan

SBC【JIS 鉄鋼】　チェーン用丸鋼 Steel, Bar, Chain　JIS G 3105

SBD　歪ベース設計　Strain-based Design

SBM　【会社名】　オランダ SBM Offshore N.V.（Single buoy mooring）

SBN【配管材料】　スタッドボルト＆ナット Stud Bolt & Nut

SBO　全交流電源喪失 Station Black Out

SBP　浅層地層探査機 Sub-bottom Profiler

SBPD【JIS 鉄鋼】　PC 鋼／棒異形鋼棒 Steel, Bar, Prestressed, Deformed　JIS G 3109

SBPDL【JIS 鉄鋼】　細径異形 PC 鋼棒 Steel, Bar, Prestressed, Deformed, Low relaxation JIS G 3137

SBPDN【JIS 鉄鋼】　細径異形 PC 鋼棒 Steel, Bar, Prestressed, Deformed, Normal relaxaion JIS G 3137

SBPR【JIS 鉄鋼】　PC 鋼棒／丸鋼棒 Steel, Bar, Prestressed, Round　JIS G 3109

SBR【化合物】　スチレンブタジエンゴム Styrene Butadiene Rubber

SBR【化合物】　スチレン・ブタジエンゴム

styrene butadiene rubber

SBT　科学と整合した目標設定 Science Based Targets

SBU　戦略事業単位 Strategic Business Unit

SBV【JIS 鉄鋼】　ボイラ及び圧力容器用マンガンモリブデン鋼及びマンガンモリブデンニッケル鋼鋼板 Steel, Boiler, Vessel　JIS G 3119

SC　超臨界圧ボイラ（火力）　Super Critical Steam Boiler

SC【配管材料】　ねじ込み形カバー／キャップ Screwed Cover／Cap

SC【JIS 鉄鋼】　機械構造用炭素鋼鋼材、SC（材）Steel, Casting　JIS G 4051

SC【JIS 鉄鋼】　炭素鋼鋳鋼品　Steel, Casting　JIS G 5101

SC　外殻鋼管付きコンクリート　Steel Composite Concrete

SC　単結晶合金　Single Crystal

-S-C【配管材料】　冷間仕上継目無　Seamless Cold

SCADA　重要インフラの監視制御システム Supervisory Control And Data Acquisition

SCC　応力腐食割れ　Stress Corrosion Cracking

SCC【JIS 鉄鋼】　構造用高張力炭素鋼及び低合金鋼鋳鋼品 Steel, Casting, Carbon　JIS G 5111

SCCrM【JIS 鉄鋼】　構造用高張力炭素鋼及び低合金鋼鋳鋼品 Steel, Casting, Chromium, Manganese　JIS G 5111

SCCV　鋼板コンクリート製原子炉格納容器 Steel Plate Reinforced Concrete Containment Vessel

SCE　設計に反映させた安全・環境上必須な要素 Safety Critical Element

SCE(vs.SCE)　飽和カロメル電極 saturated calomel electrode

SCEC【会社名】　住友ケミカルエンジニアリング㈱ Sumitomo Chemical Engineering Co., Ltd.

SCEJ　化学工学会　Society of Chemical Engineers, Japan

SCE・Net　シニアケミカルエンジニアズ・ネットワーク Senior Chemical Engineers NETwork [関連]SCEJ

SCF【単位】　標準立方フィート Standard Cuvic Feet　1m^3= 約 35.3ft^3

SCFM【単位】　風量 Standard Cubic Feet per Minute [関連] CFM、ACFM

SCG　ゆっくりとしたクラックの成長 Slow Crack Growth

sch　電気・計装用電線太さの呼称　Schedule

SCH【配管材料】　スケジュール。配管肉厚の呼称 Schedule（Number for Nominal Wall）　パイプ、管継手

SCH【JIS 鉄鋼】　耐熱鋼及び耐熱合金鋳造品 Steel, Casting, Heat-Resisting　JIS G 5122

SCIC　シンガポール化学工業協会 Singapore Chemical Industries Council

SCJ　日本学術会議　Science Council of Japan

SCM　サプライチェーン・マネジメント Supply Chain Management

SCM　クロムモリブデン鋼の識別に先立つ記号 chromium molybdenum steel

SCM***TK【JIS 鉄鋼】　機械構造用合金鋼鋼管 Steel, Chromium, Molybdenum, Tube　K：構造　JIS G 3441

SCMn【JIS 鉄鋼】　構造用高張力炭素鋼及び低合金鋼鋳鋼品 Steel, Casting, Manganese　JIS G 5111

SCMnCr【JIS 鉄鋼】　構造用高張力炭素鋼及び低合金鋼鋳鋼品 Steel, Casting, Manganese Chromium　JIS G 5111

SCMnCrM【JIS 鉄鋼】　構造用高張力炭素鋼及び低合金鋼鋳鋼品 Steel, Casting, Manganese Chromium, Molybdenum JIS G 5111

SCMnH【JIS 鉄鋼】　高マンガン鋼鋳鋼品 Steel, Casting, Mn：Manganese, High 一部 GX*** とも表記 JIS G 5131

SCMnM【JIS 鉄鋼】　構造用高張力炭素鋼及び低合金鋼鋳鋼品 Steel, Casting, Manganese, Molybdenum　JIS G 5111

SCMQ【JIS 鉄鋼】 高温圧力容器用高強度クロムモリブデン鋼
及びクロムモリブデンバナジウム鋼鋼板
Steel, Chromium, Molybdenum, Quenched　JIS G 4110

SCMV【JIS 鉄鋼】 ボイラ及び圧力容器用クロムモリブデン鋼
鋼板　Steel, Chromium, Molybdenum, Vessel　JIS G 4109

SCNCrM【JIS 鉄鋼】 構造用高張力炭素鋼及び低合金鋼鋳鋼品
Steel, Casting, Nickel, Chromium, Molybdenum
JIS G 5111

SCOP【会社名】 イラク石油分野大型設備プロジェクトの発注
管理会社　State Company for Oil Projects

SCP セミケミカルパルプ Semi-Chemical Pulp

SCPH【JIS 鉄鋼】 高温高圧用鋳鋼品
Steel, Casting, Pressure, High Temperature　JIS G 5151

SCPH***-CF【JIS 鉄鋼】 高温高圧用遠心力鋳鋼管
Steel, Casting, Pressure, High Temperature, CF：Centrifugal
JIS G 5202

SCPL【JIS 鉄鋼】 低温高圧用鋳鋼品
Steel, Casting, Pressure, Low Temperature　JIS G 5152

SCP-P【JIS 鉄鋼】 コルゲートパイプ及びコルゲートセクション
Steel, Corrugate, Pipes, Pipe Arch　JIS G 3471

SCP-R【JIS 鉄鋼】 コルゲートパイプ及びコルゲートセクション
Steel, Corrugate, Pipes, Round　JIS G 3471

SCP-RS【JIS 鉄鋼】 コルゲートパイプ及びコルゲートセクション
Steel, Corrugate, Pipes, Round, Spiral　JIS G 3471

SCR 択式触媒還元　Selective catalytic reduction

SCR 触媒脱硝　Selective Catalytic Reduction

SCR.CAP【図面記号】 ネジ込キャップ　Screw Cap

SCr 420TK【JIS 鉄鋼】 機械構造用合金鋼鋼管
Steel, Chromium, Tube, K: 構造　JIS G 3441

SCRD【配管材料】 ねじ込み接続　Screwed Connection

SCRE【配管材料】 おすねじ端 Screwed End

SCS【JIS 鉄鋼】 ステンレス鋼鋳鋼品　Steel, Casting, Stainless
JIS G 5121

SCSiMn【JIS 鉄鋼】 構造用高張力炭素鋼及び低合金鋼鋳鋼品
Steel, Casting, Silicon, Manganese　JIS G 5111

SCV 温水式気化器　submerged combustion vaporizer
国内ではSMV、海外ではSCVと略記する
［関連］ORV, SMV

SCW【JIS 鉄鋼】 溶接構造用鋳鋼品
Steel, Casting, Weld　JIS G 5102

SCW***-CF【JIS 鉄鋼】 溶接構造用遠心力鋳鋼管
Steel, Casting, Weld　CF：Centrifugal　JIS G 5201

S&D【配管材料】 シート＆ディスク　Seat & Disk　バルブ

SD シャットダウン　Shut Down

SD【JIS 鉄鋼】 鉄筋コンクリート用鋼棒／異形棒鋼
Steel, Deformed　JIS G 3112

SDAS ドラム管工業会規格　Japan Steel Drums Association

SDF 符号付きディスタンスフィールド Signed Distance Field

SDGs 持続可能な開発目標 Sustainable Development Goals

SDI 停止中の検査　Shut down inspection

SDM 定修工事 ShutDownMaintanance

SDR【JIS 鉄鋼】 鉄筋コンクリート用再生鋼／再生異形棒鋼
Steel, Rround, Deformed　JIS G 3117

SDR 経済限界下的開発可能資源量
Subeconomic Demonstrated Resources

SDR【航空・宇宙】 実験装置と科学目標との整合性の審査
System Definition Review

SDR 基準外径と最小厚さの比 Standard Dimesion Ratio

SDS 安全データシート　Safety Data Sheet

SE【JIS 鉄鋼】 電気亜鉛めっき鋼板及び鋼帯
Steel, Electrolytic　JIS G 3313

sec【単位】 秒　Second　［関連］hr, min

SEC【会社名】 昭和エンジニアリング㈱

Showa Engineering Co., Ltd.

SEC【会社名】 サウジ電力会社　Saudi Electricity Company

SEC サウジ最高経済評議会　Supreme Economic Council

SEC 石油開発環境安全センター　Safety and Environment
Center for Petroleum Development　エンジニアリング協会
の附置機関

SECT.【図面記号】 部署（図面記号）、第 ** 章　Section

SEER 期間エネルギー利用効率 Seasonal Energy Efficiency
Ratio

SEFH【JIS 鉄鋼】 電気亜鉛めっき鋼板及び鋼帯
Steel, Electrolytic, Formability, Hot（加工用）　JIS G 3313

SEFH***Y【JIS 鉄鋼】 電気亜鉛めっき鋼板及び鋼帯
Steel, Electrolytic, Formability, Hot, Y:（高加工用）
JIS G 3313

SEGES 社会・環境貢献緑地評価システム
Social and Environmental Green Evaluation System
シージェス　（財）都市緑化基金が運営

SEHC【JIS 鉄鋼】 電気亜鉛めっき鋼板及び鋼帯
Steel, Electrolytic, Hot, Commercial（一般用）　JIS G 3313

SEHD【JIS 鉄鋼】 電気亜鉛めっき鋼板及び鋼帯
Steel, Electrolytic, Hot, Deep Drawn（絞り用）　JIS G 3313

SEHE【JIS 鉄鋼】 電気亜鉛めっき鋼板及び鋼帯
Steel, Electrolytic, Hot, Deep Drawn Extra（深絞り用）
JIS G 3313

SEM 走査型電子顕微鏡　Scanning Electron Microscope

SEMI・F/S-FN【配管材料】 中仕上げ　Semi Finish

SEPH【JIS 鉄鋼】 電気亜鉛めっき鋼板及び鋼帯
Steel, Electrolytic, Plate Hot　JIS G 3313

SEPL【会社名】 shell マレーシア
Shell Eastern Petroleum（Pte）Ltd

SEQ シーケンス、シークエンス　sequence

SEV【JIS 鉄鋼】 中・常温圧力容器高強度鋼鋼板
Steel, Elevated Temperature, Vessel　JIS G 3124

SEV スチームエジェクターベーパーライザー
Steam Ejector type Vaporizer

SF【JIS 鉄鋼】 炭素鋼鍛鋼品　Steel, Forging　JIS G 3201

SFB【JIS 鉄鋼】 炭素鋼鍛鋼品用鋼片
Steel, Forging, Bloom　JIS G 3251

SFCM【JIS 鉄鋼】 クロムモリブデン鋼鍛鋼品
Steel, Forging, Chromium, Molybdenum　JIS G 3221

SFL【JIS 鉄鋼】 低温圧力容器用鍛鋼品
Steel, Forging, Low-Temperature　JIS G 3205

SFM 写真測量　Structure from Motion

SFNCM【JIS 鉄鋼】 ニッケルクロムモリブデン鋼鍛鋼品
Steel, Forging, Nickel, Chromium, Molybdenum　JIS G 3222

SFS【会社名】 ㈱作田フレキ製作所

SFT【JIS 鉄鋼】 鉄塔フランジ用高張力鋼鍛鋼品
Steel, Forging, Tower Flanges　JIS G 3223

SFVA【JIS 鉄鋼】 高温圧力容器用合金鋼鍛鋼品
Steel, Forging, Vessel, Alloy　JIS G 3203

SFVC【JIS 鉄鋼】 圧力容器用炭素鋼鍛鋼品
Steel, Forging, Vessel, Carbon　JIS G 3202

SFVCM【JIS 鉄鋼】 高温圧力容器用高強度クロムモリブデン
鋼鍛鋼品　Steel, Forging, Vessel, Chromium, Molybdenum
JIS G 3206

SFVQ【JIS 鉄鋼】 圧力容器用調質型合金鋼鍛鋼品
Steel, Forging, Vessel, Quenched　JIS G 3204

SG【JIS 鉄鋼】 高圧ガス容器用鋼板及び鋼帯
Steel, Gas Cylinder　JIS G 3116

SG シェールガス　Shale Gas

SG 蒸気発生器 Steam Generator

SGA 第 2 世代アクリル系接着剤 Second Generation. Acrylic
Adhesive

SGC　シンガスクーラ　Syngas Cooler
SGC【会社名】　イラク南部 LPG 製造会社
　South Gas Company
SGC【JIS 鉄鋼】　溶融亜鉛めっき鋼板及び鋼帯
　Steel, Galvanized, Cold（高強度一般用）　JIS G 3302
SGCC【JIS 鉄鋼】　溶融亜鉛めっき鋼板及び鋼帯
　Steel, Galvanized, Cold, Commercial（一般用）　JIS G 3302
SGCD【JIS 鉄鋼】　溶融亜鉛めっき鋼板及び鋼帯
　Steel, Galvanized, Cold, Drawn（絞り用）　JIS G 3302
SGCH【JIS 鉄鋼】　溶融亜鉛めっき鋼板及び鋼帯
　Steel, Galvanized, Cold, Hard（硬質一般用）　JIS G 3302
SGCNT　スーパーグロース法で作製した単層カーボンナノ
　チューブ　Super growth single-walled carbon nanotube
SGD【JIS 鉄鋼】　みがき棒鋼用一般鋼材
　Steel, General, Deformed　JIS G 3108
SGH【JIS 鉄鋼】　溶融亜鉛めっき鋼板及び鋼帯
　Steel, Galvanized, Hot（高強度一般用）　JIS G 3302
SGHC【JIS 鉄鋼】　溶融亜鉛めっき鋼板及び鋼帯
　Steel, Galvanized, Hot, Commercial（一般用）　JIS G 3302
SGHWR　重水減速軽水冷却炉
　Steam-Generating Heavy Water Reactor
SGL【会社名】　SGL カーボンジャパン㈱
SGML　標準汎用マークアップ言語
　Standard Generalized Markup Language
SGP【JIS 鉄鋼】　配管用炭素鋼鋼管
　Steel, Gas, Pipe　JIS G 3452
SGP-PA,PB,PD　水道用ポリエチレン粉体ライニング鋼管
SGP-VA,VB,VD　水道用硬質塩化ビニルライニング鋼管
SGPW【JIS 鉄鋼】　水配管用亜鉛めっき鋼管
　Steel, Gas, Pipe, Water　JIS G 3442
SGRE【会社名】シーメンスガメサ・リニューアブル・エナジー
　Siemens Gamesa Renewable Energy
SGS　サブグリッドスケール　Subgrid scale
SGS　【会社名】Société Générale de Surveillance　検査、試験、
　認証等
SGSI【会社名】　shell オランダ
　SHELL GLOBAL SOLUTIONS INTERNATIONAL
SGV【JIS 鉄鋼】　中・常温圧力容器用炭素鋼鋼板
　Steel, General, Vessel　JIS G 3118
SGX　シンガポール証券取引所　Singapore Exchange
-S-H【配管材料】　熱間仕上継目無　Seamless Hot　パイプ
SH　スプリングハンガ　Spring Hanger
SH590P【JIS 鉄鋼】　鉄塔用高張力鋼鋼材／鋼板
　Steel, High strength, Plate　JIS G 3129
SH590S【JIS 鉄鋼】　鉄塔用高張力鋼鋼材／山形鋼
　Steel, High strength, Section　JIS G 3129
　Shale gas　シェースガス　頁岩層
SHAP　シャプレイの加法的な説明　SHapley Additive
　exPlanations
SHARP　安全衛生達成認識プログラム　Safety and Health
　Achievement Recognition Program
SHE(vs.SHE)　標準水素電極　standard hydrogen electrode
SHE　安全衛生環境　Health Safety and Environment
　海外では "SHE" と略す事もある　［関連］HSE、HS&E
SHI【会社名】　住友重機械工業㈱
　Sumitomo Heavy Industries, Ltd.
SHI【会社名】サムスン（三星）重工業 Samsung Heavy
　industries
SHM　構造物ヘルスモニタリング　Structural Health
　Monitoring
SHP　特別な静水圧試験　Special Hydrostatic Pressure test
SHY685【JIS 鉄鋼】　溶接構造用高降伏点鋼板
　Steel, High Yield　Y：溶接　JIS G 3128

SHY685N【JIS 鉄鋼】　溶接構造用高降伏点鋼板
　Steel, High Yield　Y：溶接, Nickel　JIS G 3128
SHY685NS【JIS 鉄鋼】　溶接構造用高降伏点鋼板
　Steel, High Yield　Y：溶接, Nickel, Special　JIS G 3128
SH 波　表面波　Shear Horizontal Wave
SI　シリコン　Silicone
SI【単位】　国際単位系　International System of units
SIF　応力拡大係数　Stress Intensification Factors
SIF　安全計装機能　Safety Instrumented Function
SIGC　そうま IHI グリーンエネルギーセンター The Soma IHI
　Green Energy Center
SII　環境共創イニシアチブ　Sustainable open Innovation
　Initiative
SIL　安全度水準　Safety Integrity Level
SIMA　CAD の形式、JSIMA（日本測量機器工業会）Surveying
　Instrument Manufacturers Association
SIMEX　シンガポール国際金融取引所
　Singapore International Monetary Exchange
SIMS　二次イオン質量分析　Secondary Ion Mass Spectrometry
SINOCHEM【会社名】　中国化工進出口集団公司
　または中国中化集団公司
　China National Chemicals Import & Export Corporation
SINOPEC【会社名】　中国石油化工股份有限公司
　China Petroleum & Chemical Corporation
SIP　戦略的イノベーション創造プログラム　Cross-ministerial
　Strategic Innovation Promotion Program
SIP　定置殺菌　Sterilization（Sterilizing/Sterile）in place
　［関連］CIP
SIRIM　マレーシア標準工業研究所 Standard and Industrial
　Research Institute of Malaysia
SIS　安全計装システム Safety Instrument System
SIST　科学技術情報流通技術基準（科学技術振興機構）
　Standards for Information of Science & Technology
　科学技術振興機構
　JST：Japan Science and Technology Agency
　旧：科学技術振興事業団
SIWW　シンガポール国際水週間
　Singapore International Water Week
SIZE【配管材料】　呼び径　Nominal Pipe Size　配管材料共
SKS　㈱芝田化工設計 Shibata Kako Sekkei
SL*N【JIS 鉄鋼】　低温圧力容器用ニッケル鋼鋼板
　Steel, Low Temperature, Nickel　JIS G 3127
SLA【JIS 鉄鋼】　低温圧力容器用炭素鋼鋼板
　Steel, Low Temperature, Alkilled　JIS G 3126
SLA　サービス品質保証 Service Level Agreement
SLAM　自己位置推定と環境地図作成 Simultaneous
　Localization And Mapping
SLAM　レーザー走査型超音波顕微鏡 Scanning Laser Acoustic
　Microscope
SLInG　シンガポール LNG インデックスグループ指標
　Singapore LNG Index Group
SLOFEC　磁気飽和渦流探傷 Saturation Low Frequency Eddy
　Current
SLP　工場レイアウトの設計手法 Systematic Layout Planning
SM　サイト・マネージャー、現場代理人。出張所長
　Site Manager
SM　歪み測定　Strain Measurement
SM【化合物】　スチレンモノマー　styrene monomer
SM【JIS 鉄鋼】　溶接構造用圧延鋼材
　Steel, Marine　JIS G 3106
SMA　日本舶用工業会（JSMEA）標準
　The Standards of the Ship-Machinery Manufacturers'
　Association of Japan

JSMEA；Japan Marine Equipment Association
SMA【JIS 鉄鋼】 溶接構造用耐候性熱間圧延鋼材
　Steel, Marine, Atmospheric　JIS G 3114
SMA 形状記憶合金 Shape memory alloy
SMAW 被覆アーク溶接 Shielded Metal Arc Welding
SMC【会社名】SMC ㈱ Sintered Metal Company
SME 製造技術者協会 Society of Manufacturing Engineers
SMES 超電導電力貯蔵
　Superconducting Magnetic Energy Storage
SMF シングルモード光ファイバ Single Mode Fiber
SMLS【配管材料】 継目無し Seamless
SMR 小型モジュール炉 Small Modular Reactor
SMR 天然ガスの液化プロセス Single Mixed Refrigerant
SMR 水蒸気改質 Steam Methane Reformer
SMS 携帯電話 1 の短いメッセージを送受信するサービス
　Short Message Service
SMV 温水式気化器 submerged combustion vaporizer
　国内では SMV、海外では SCV と略記する
SN【配管材料】 スウェージ・ニップル Swage Nipple
SN【JIS 鉄鋼】 建設構造用圧延鋼材
　Steel, New structure　JIS G 3136
S/N（比） 信号対雑音比 Signal-to-Noise ratio
SNAP 重要新規代替物質政策 Significant New Alternatives
　Policy
SNB【JIS 鉄鋼】 高温用合金鋼ボルト材
　Steel, Nickel, Bolt　JIS G 4107
SNC【JIS 鉄鋼】 ニッケルクロム鋼
　Nickel Chromium Steels JIS G 4102
SNCM【JIS 鉄鋼】 ニッケルクロムモリブデン鋼
　Nickel chromium molybdenum steel　JIS G 4103
SNCR 無触媒脱硝 Selective Non-Catalytic Reduction
SNG 合成天然ガス Synthetic Natural Gas
SNP 出荷時梱包量 Standard Number of Package
SNPTC 国家核電技術公司（SPIC へ経営統合）State Nuclear
　Power Technology Corp.,Ltd
SNR 建設構造用圧延棒鋼
　Steel, New structure, Round bar　JIS G 3138
SO【配管材料】 差し込み（スリップオン）溶接
　Slip-On Weld　フランジ
SOC【会社名】 イラク南部原油生産会社　South Oil Company
SOC 充電残量 State of Charge
SOEC 固体酸化物形水電解 Solid Oxide Electrolysis Cell
SOF 可溶性有機成分　Soluble Organic Fraction
SOFC 固体酸化物形燃料電池 Solid Oxide Fuel Cell
　［関連］AFC, DFC, MCFC, PAFC, PEFC
SOLAS 海上人命安全条約 The International Convention for
　the Safety of Life at Sea
SOMO イラク国営石油管理下の原油製品輸出入部門
　The State Oil Marketing Organization
SONATRACH【会社名】 アルジェリア国営石油会社
　ソナトラック
SOP 標準作業手順書 Standard Operating Procedures
SORM 2次近似法、2次信頼性理論、2次近似信頼性理論
　Second-Order Reliability Method"
SOS 遭難信号　モールス符号が「・・・－－－・・・」と判
　りやすいことが語源　エスオーエス
SOx【化合物】 硫黄酸化物の総称 Sulfur oxide
SP ソルビリティパラメーター　Solubility Parameter
SP サルファイドパルプ Sulfide Pulp
SP3D Smart Plant 3D（インターグラフ社）
SPA【契約】売買契約（書）　Sale and Purchase Agreement
SPA-C【JIS 鉄鋼】 高耐候性圧延鋼材
　Steel, Plate, Atmospheric, Cold　JIS G 3125

SPA-H【JIS 鉄鋼】 高耐候性圧延鋼材
　Steel, Plate, Atmospheric, Hot　JIS G 3125
SPB 角型タンク（IHI）Self-supporting Prismatic shape IMO
　type B
SPB【配管材料】 スペクタクルブラインド
　Spectacle Blind　部品
SPB【JIS 鉄鋼】 ぶりき及びぶりき原板
　Steel, Plate, Black　JIS G 3303
SPC 欧州製品概要 Summary of Product Characteristics
SPC【会社名】 シンガポール石油会社
　Singapore Petroleum Co., Ltd.
SPC 特別目的会社 Special Purpose Company
SPC【配管材料】 スペーサー Spacer　配管材料共通
SPCC【JIS 鉄鋼】 冷間圧延鋼板及び鋼帯
　Steel, Plate, Cold, Commercial　JIS G 3141
SPCCT【JIS 鉄鋼】 冷間圧延鋼板及び鋼帯
　Steel, Plate, Cold, Commercial, Test　JIS G 3141
SPCD【JIS 鉄鋼】 冷間圧延鋼板及び鋼帯
　Steel, Plate, Cold, Deep Drawn　JIS G 3141
SPCE【JIS 鉄鋼】 冷間圧延鋼板及び鋼帯
　Steel, Plate, Cold　E：Deep Drawn Extra　JIS G 3141
SPCF【JIS 鉄鋼】 冷間圧延鋼板及び鋼帯／非時効性深絞り用
　Steel, Plate, Cold　F：等級　JIS G 3141
SPCG【JIS 鉄鋼】 冷間圧延鋼板及び鋼帯／非時効性超深絞り
　用　Steel, Plate, Cold　G：等級　JIS G 3141
SPD サージ防護デバイス（避雷器）Surge Protective Device
SPE 固体粒子侵食 Solid Particle Erosion
SPE 米国石油技術者協会 Society of Petroleum Engineers
SPEC.【配管材料】 仕様書 Specification
SPHC【JIS 鉄鋼】 熱間圧延軟鋼板及び鋼帯
　Steel, Plate, Hot, Commercial　JIS G 3131
SPHD【JIS 鉄鋼】 熱間圧延軟鋼板及び鋼帯
　Steel, Plate, Hot, Deep Drawn　JIS G 3131
SPHE【JIS 鉄鋼】 熱間圧延軟鋼板及び鋼帯
　Steel, Plate, Hot　E：Deep Drawn Extra　JIS G 3131
SPHF【JIS 鉄鋼】 熱間圧延軟鋼板及び鋼帯
　Steel, Plate, Hot　F：等級　JIS G 3131
SPHT【JIS 鉄鋼】 鋼管用熱間圧延炭素鋼鋼帯
　Steel, Plate, Hot, Tube　JIS G 3132
SPI スケジュール効率指数 Schedule Performance Index
SPI 米国プラスチック工業協会
　The Society of the Plastics Industry（USA）
SPI Smart Plant Isometrics or I-Sketch（インターグラフ社）
SPIC 中国電力投資集団 State Power Investment Corporation
　Limited
SPL【会社名】 サウジ・ペトロリアム・リミテッド
　（Saudi Aramco の東京支社）　Saudi Petroleum, Ltd
SPM 浮遊粒子状物質 Suspended Particulate Matter
　PM の内、特に細かく浮遊性のある物質
　粒径 10μm（0.01mm）以下の粒子
　［関連］PM, SS
SPMT 自走式モジュール運搬車
　Self Propelled Module Transporter
SPQ 発注最小単位 Standard Packing Quantity
SPR 自己穿孔リベット　Self-piercing rivet
SPRL-WND【配管材料】 うず巻き形ガスケット
　Spiral Wound
SPS 放電プラズマ焼結法 Spark Plasma Sintering
SPS 海底(石油)生産システム Subsea Production System
SPTE【JIS 鉄鋼】 ぶりき及びぶりき原板
　Steel, Plate, Tin, Electrolytic　JIS G 3303
SPTFS【JIS 鉄鋼】 ティンフリースチール
　Steel, Plate, Tin, Free, Steel　JIS G 3315

SPTH【JIS 鉄鋼】 ぶりき及びぶりき原板
Steel, Plate, Tin, Hot-Dip JIS G 3303
SPV【JIS 鉄鋼】 圧力容器用鋼板
Steel, Pressure, Vessel JIS G 3115
SQC シーケンス制御システム SeQuence Control system
SQEA 安全、品質、環境、有効 Safety Quality Environment
Availability
SQU スルタンカブース大学（オマーン）
Sultan Qabos University
SQUID 超伝導量子干渉素子 Super conducting Quantum
Interference Device
SQV【JIS 鉄鋼】 圧力容器用調質型マンガンモリブデン鋼及び
マンガンモリブデンニッケル鋼鋼板
Steel, Quenched, Vessel JIS G 3120
S.R【図面記号】 焼鈍 Stress Release
SR 代替現実 Substitutional Reality
SR【配管材料】 応力除去 Stress Relief（Annealing）
SR【配管材料】 ショートラディアス Short Radius 管継手
SR【JIS 鉄鋼】 鉄筋コンクリート用鋼棒／丸鋼
Steel, Rround JIS G 3112
SRB【JIS 鉄鋼】 再生鋼材 Steel, Rerolled, Bar JIS G 3111
SRC 鉄筋鉄骨コンクリート構造
Steel Strucrure Reinforced Concret
SRC【会社名】 イラク南部石油精製会社
South Refinery Company
SRF 統計的リーチ特徴量 Statistical Reach Feature
SRK 技能、規則、知識 Skill、Rule、Knowledg
SRIS 日本ゴム協会標準規格
The Society of Rubber Industry, Japan Standard
SRR【JIS 鉄鋼】 鉄筋コンクリート用再生鋼／再生丸鋼
Steel, Rround, Reroll JIS G 3117
SRS 日本硝子計量器工業協同組合
Japanese Cooperative Kumiai for Glass Measurement
Instruments Industry
SRSS 平方和の平方根 Squdare Root of the Sum of the Square
SRT 汚泥滞留時間 Sludge Retention Time
SRU 硫黄回収装置 Sulfer Recovery Unit
SRV 貯蔵・気化設備のついた LNG 船 Shuttle and Re-gasification
Vessel 陸上受入基地の替わりに桟橋に接岸
SRV 主蒸気逃がし安全弁 Safety Relief Valve
SRV 振動摩擦摩耗 Schwingungs Reihungund Verschleiss
SS 浮遊物質 Suspended Solid
水中に浮遊する不溶性粒状物質の総称で、懸濁物質ともいう
［関連］PM, SPM
SS シークレットサービス、大統領警護人 Secret Service
SS ガソリンスタンド Service Station 和製英語
SS【JIS 鉄鋼】 一般構造用圧延鋼材
Steel, Structure JIS G 3101
SSC【JIS 鉄鋼】 一般構造用軽量形鋼、SSC（材）
Steel, Structure, Cold Forming JIS G 3350
SSC 構築物、系統および機器 Structure, System and
Component
SSD 低速ディーゼル機関 Slow Speed Diesel
SSD ソリッドステートドライブ Solid State Disk
SSCF 並行複発酵
Simultaneous saccharification and co-fermentation
SSE 安全停止地震 Safe Shutdown Earthquake
SSE 【会社名】 イギリス・スコットランドのエネルギー会社
Scottish and Southern Energy plc
SSF 同時糖化発酵。併行複発酵
Simultaneous Saccharification and Fermentation
［関連］CBP, SSCF
SSL 通信暗号化の一種。セキュアソケットレイヤー

Secure Sockets Layer
SSO シングルサインオン Single Sign On
SSOP 衛生標準作業手順
Sanitary Standard Operation Procedure HACCP 関連用語
［関連］HACCP, HA, CCP, GMP
SSPC 【規格】 米塗装規格 The Society for protective
coatings
SSPEJ 分離技術会
The Society of Separation Process Engineers, Japan
SSRT 低歪速度引張試験 Slow Strain Rate Test
SSS SSS クラッチ Synchro Self Shifting
SSS【会社名】 昌立製作所 Shoritsu Seisakusyo Co., Ltd.
ST スチームタービン Steam Turbine
ST 拡径断面を有する PHC 杭 Step Tapered Piles
STB【JIS 鉄鋼】 ボイラ・熱交換器用炭素鋼鋼管
Steel, Tube, Boiler JIS G 3461
STBA【JIS 鉄鋼】 ボイラ・熱交換器用合金鋼鋼管
Steel, Boiler and heat exchange Tube, Alloy JIS G 3462
STBL【JIS 鉄鋼】 低温熱交換器用鋼管
Steel, Boiler and heat exchange Tube, Low Temperature
JIS G 3464
STC【JIS 鉄鋼】 シリンダチューブ用炭素鋼鋼管
Steel, Tube, Cylinder JIS G 3473
STCW 船員の訓練及び資格証明並びに当直の基準に関する
国際条約 The International Convention on Standards of
Training, Certification and Watchkeeping for Seafarers
STD【配管材料】 スタンダード（標準）
Standard
STE【配管材料】 スタブエンド Stub End 管継手
STEP CAD/CAM におけるデータの形式 Standard for the
Exchange of Product Data
STePP サステナブル技術普及プラットフォーム Sustainable
Technology Promotion Platform
STF【JIS 鉄鋼】 加熱炉用鋼管 Steel, Tube, Fired Heater
JIS G 3467
STFA【JIS 鉄鋼】 加熱炉用鋼管
Steel, Tube, Fired Heater, Alloy JIS G 3467
STH 太陽光から水素への変換効率 solar to hydrogen
STH【JIS 鉄鋼】 高圧ガス容器用継目無鋼管
Steel, Tube, High Pressure JIS G 3429
STK【会社名】 金子産業 Silent Technology KANEKO

Silent Technology
KANEKO
金子産業株式会社
〒108-0014 東京都港区芝５−１０−６
TEL 03-3455-1411   FAX 03-3456-5820
URL http://www.kaneko.co.jp/

STK【JIS 鉄鋼】 一般構造用炭素鋼鋼管
Steel, Tube K：構造 JIS G 3444
STKM【JIS 鉄鋼】 機械構造用炭素鋼鋼管
Steel, Tube K：構造 , Machine JIS G 3445

STKN【JIS 鉄鋼】 建築構造用炭素鋼鋼管
　Steel, Tube　K：構造 , New structure　JIS G 3475
STKR【JIS 鉄鋼】 一般構造用角形鋼管
　Steel, Tube　K：構造 , Rectangular　JIS G 3466
STL　3D データフォーマット Stereolithography の略
STL（STLT）【配管材料】 ステライト盛　Stellited　バルブ
STL　水中タレット積出システム Submerged Turret Loading
STM【配管材料】 蒸気、スチーム　Steam　流体
STPA【配管材料】 配管用合金鋼鋼管　Steel, Tube, Pipe, Alloy
　JIS G 3458
STPG【JIS 鉄鋼】 圧力配管用炭素鋼鋼管
　Steel, Tube, Pipe, General　JIS G 3454
STPL【JIS 鉄鋼】 低温配管用鋼管
　Steel, Tube, Pipe, Low Temperature　JIS G 3460
STPT【JIS 鉄鋼】 高温配管用炭素鋼鋼管
　Steel, Tube, Pipe, Temperature　JIS G 3456
STPY400【JIS 鉄鋼】 配管用アーク溶接炭素鋼鋼管
　Steel, Tube, Pipe　Y：溶接　JIS G 3457
STR【配管材料】 ストレーナー　Strainer
STS【JIS 鉄鋼】 高圧配管用炭素鋼鋼管
　Steel, Tube, Special Pressure　JIS G 3455
STS　LNG ホースを接続後に LNG を充填する方式 Ship to Ship
STT【配管材料】 スチームトラップ　Steam Trap
STW【JIS 鉄鋼】 水輸送用塗覆装鋼管　Steel, Tube, Water
　JIS G 3443
STXM　放射光 X 線を用いた走査型透過 X 線顕微鏡 Scanning
　transmission X-ray microscopy
SU　スタートアップ　Start Up
SUH　耐熱鋼　Steel Use Heat Resisting
SUMP　鈴木式万能顕微鏡印画法
　Suzuki's Universal Micro-Printing Method
SuMPO　（一社）サステナブル経営推進機構 Sustainable
　Management Promotion Organization
SUS（SS）【配管材料】 ステンレス鋼（stainless steel）
　Stainless Used Steel　配管材料共通
SUS***TB【JIS 鉄鋼】 ボイラ・熱交換器用ステンレス鋼鋼管
　Steel, Use, Stainless, Tube, Boiler　JIS G 3463
SUS***TBS【JIS 鉄鋼】 ステンレス鋼サニタリー管
　Steel, Use, Stainless, TB:Tube, Sanitary　JIS G 3447
SUS***TF【JIS 鉄鋼】 加熱炉用鋼管
　Steel, Use, Stainless, Tube, Fired Heater　JIS G 3467
SUS***TKA【JIS 鉄鋼】 機械構造用ステンレス鋼鋼管
　Steel, Use, Stainless, Tube　K：構造　JIS G 3446
SUS***TKC【JIS 鉄鋼】 機械構造用ステンレス鋼鋼管
　Steel, Use, Stainless, Tube　K：構造　JIS G 3446
SUS***TP【JIS 鉄鋼】 配管用ステンレス鋼管
　Steel, Use, Stainless, Tube, Pipe　JIS G 3459
SUS***TPD【JIS 鉄鋼】 一般配管用ステンレス鋼管
　Steel, Use, Stainless, Tube, Pipe, Domestic　JIS G 3448
SUS***TPY【JIS 鉄鋼】 配管用溶接大径ステンレス鋼管
　Steel, Use, Stainless, Tube, Pipe　Y：溶接　JIS G 3468
SUSC【JIS 鉄鋼】 塗装ステンレス鋼板
　Steel, Use, Stainless, Coating（片面）　JIS G 3320
SUSCD【JIS 鉄鋼】 塗装ステンレス鋼板

Steel, Use, Stainless, Coating, Double（両面）　JIS G 3320
SUSF【JIS 鉄鋼】 圧力容器用ステンレス鋼鍛鋼品
　Steel, Use, Stainless, Forging　JIS G 3214
SUS-TBS【JIS 鉄鋼】 ステンレス鋼サニタリー管
　Steel, Use, Stainless, TuBe, Sanitary　JIS G 3447
SUS-TPD【JIS 鉄鋼】 一般配管用ステンレス鋼管
　Steel, Use, Stainless, Tube, Pipe, Domestic　JIS G 3448
SV　スケジュール差異 Schedule Variance
SV　スーパーバイザー、メーカー（技術）指導員　SuperViser
SV　制御設定値　Setting Value　［関連］MV, PV
SV【配管材料】 安全弁　Safety Valve
SV【JIS 鉄鋼】 リベット用丸鋼　Steel　V：Rivet　JIS G 3104
SV 波　剪断波　Shear vertical Wave
SVD　特異値分解 singular-value decomposition
SVHC　高懸念物質　Substances of Very High Concern
SVI　汚泥容量指数　Sludge Volume Index
SVM　サポートベクターマシン Support Vector Machine
SW　海水　SeaWater　［関連］WSE
SW【配管材料】 差しこみ（ソケット）溶接
　Socket Welded　配管材料共通
SWCC【会社名】 サウジ海水淡水化公社
　Saline Water Conversion Corporation
SWH400【JIS 鉄鋼】 一般構造用溶接軽量 H 形鋼
　Steel, Weld, H 形　JIS G 3353
SWH400L【JIS 鉄鋼】 一般構造用溶接軽量 H 形鋼
　Steel, Weld, H 形, Lip　JIS G 3353
SWING（SWG）【配管材料】 スイング型　Swing Type
SWOT　強み、弱み、好機、懸念　Strength、Weakness、
　Opportunity、Threat
SwRI　サウスウェスト研究所 Southwest Research Institute
SWRO　海水 RO SeaWater Reverse Osmosis [関連]RO
SWRP　海底油井対応プロジェクト　Subsea Well Response
　Project
SZAC【JIS 鉄鋼】 溶融亜鉛 -5％アルミニウム合金めっき鋼板
　及び鋼帯　Steel, Zinc, Aluminium, Cold（高強度一般用）
　JIS G 3317
SZACC【JIS 鉄鋼】 溶融亜鉛 -5％アルミニウム合金めっき鋼板
　及び鋼帯
　Steel, Zinc, Aluminium, Cold, Commercial（一般用）
　JIS G 3317
SZACD*【JIS 鉄鋼】 溶融亜鉛 -5％アルミニウム合金めっき鋼
　板及び鋼帯　Steel, Zinc, Aluminium, Cold, Drawn（絞り用）,
　*：等級　JIS G 3317
SZACH【JIS 鉄鋼】 溶融亜鉛 -5％アルミニウム合金めっき鋼
　板及び鋼帯
　Steel, Zinc, Aluminium, Cold, Hard（硬質一般用）
　JIS G 3317
SZAH【JIS 鉄鋼】 溶融亜鉛 -5％アルミニウム合金めっき鋼板
　及び鋼帯　Steel, Zinc, Aluminium, Hot（高強度一般用）
　JIS G 3317
SZAHC【JIS 鉄鋼】 溶融亜鉛 -5％アルミニウム合金めっき鋼
　板及び鋼帯　Steel, Zinc, Aluminium, Hot, Commercial（一般
　用）　JIS G 3317

───── ● 優良技術図書案内 ─────

新版　光の計測マニュアル

(一社)照明学会 編　A5判548頁　定価：7,700円（税込）

お問合せは日本工業出版㈱　フリーコール 0120-974-250　https://www.nikko-pb.co.jp/

T

t【配管材料】 肉厚。(板材、保温、塗装等の) 厚さ
Thickness（in mm）

T【配管材料】 ティー Tee 管継手

T #【配管材料】 ニチアス製ガスケット Tombow

t/a【単位】 ton/年 ton per annual

TA【図面記号】 温度異常警報計
Temperature Annunciator（Alarm）

TAG【会社名】 Trans Austria Gasleitung Gmbh

TAG【化合物】トリアシルグリセロール Triacylglycerol

TAGP 広域アセアン天然ガスパイプライン網 Trans-ASEAN Gas
Pipeline

TAI 国際原子時。IAT とも呼ばれる
International Atomic Time 　［関連］JST, UT, UTC, IAT

TAKREER【会社名】 アブダビ石油精製会社。ADNOC 傘下
Abu Dhabi Oil Refining Company 　タクリール
　［関連］ADGAS, ADOC, ADNOC

TAS 日本工具工業会規格
The Japan Cutting Tools' Association Standards

TAT 型式承認試験 Type Acceptance Testing

TBA 後日発表。追って知らせる To Be Announced

TBC 遮熱コーティング Thermal Barrier Coating

TBE【配管材料】 両端ねじ Thread Both End

TBM ツールボックスミーティング Tool Box Meeting

TBM 時間基準（計画）保全 Time Based Maintenance
　一定周期で行う点検、検査、補修
　［関連］EM, RBM, CBM, PM

TA-Luft EU 基準に則したドイツ規格 Technische Anleitung
zur Reinhaltung der Luft

TBT 協定 貿易の技術的障害に関する協定。通称「TBT 協定」
または「WTO/TBT 協定」 Technical Barriers to Trade

TC トラベラーズチェック traveler's check

TC【図面記号】 温度調節計 Temperature Controller

TC 熱電対 ThermoCouple 　［関連］RTD

TCD 熱伝導度型検出器 Thermal Conductivity Detector

TCF【単位】 1 兆立方フィート Trillion Cubic Feet
　＝約 2.8 × 10^10m^3 　［関連］CCF, MCF, MMCF, BCF

TCO コンピュータの導入に伴うメインテナンス等も含めた総
合コスト Total Cost Ownership

TCP 技術協力許可 Technical Cooperation Permit

TCR 電話・音声コミュニケーション室
Tele Communication Room

TCS 電話・音声コミュニケーションシステム
Tele Communication System

TCS ターボコンパウンドシステム Turbo Compound System

TCV【図面記号】 温度調節弁 Temperature Control Valve

TDI 一日当たり摂取許容量 Tolerable Daily Intake

TDM 統合的設計管理手法 Total Design Management

TDK【会社名】 旧：東京電気化学工業 Tokyo Denki Kagak

TDM 交通需要マネージメント
Trafic（Transportation）Demand Management

TDR 技術設計報告書 Technical Design Report

TDS 塩分、総溶解固形分 Total Dissolved Solids

TDS 全蒸発残留物 Total Dissolved Solid

TDS 不純物総溶解度 Total Dissolved Solid

TE【図面記号】 温度検出端 Thermo Element

TE【配管材料】 ねじ付端面 Threaded End

TEA【化合物】トリエタノールアミン Triethanolamine

TEC【会社名】 東洋エンジニアリング㈱
Toyo Engeneering Corporation

TEC-FORCE 緊急災害対策派遣隊 Technical Emergency
Control Force

TEF【配管材料】 テフロン Teflon

TEK【会社名】 東レエンジニアリング㈱
Toray Engineering Co., Ltd.

TEM 透過型電子顕微鏡 Transmission Electron Microscope

TEMA 米国管式熱交換器製造事業協会
Tubular Exchanger Manufacturers Association、USA

TEMP【図面記号】 仮の、仮設 Temporary

TEMP【配管材料】 温度 Temperature

TEPCO【会社名】 東京電力ホールディングス㈱及びグループ
企業 Tokyo Electric Power Company, Inc.

TEPSCO【会社名】 東電設計㈱
Tokyo Electric Power Services Co., Ltd

TES 日本工作機器工業会（JMAA）規格
Tooling and Equipment Standard
JMAA；Japan Machine Accessory Association

TEU 20 フィートコンテナ換算 Twenty-foot equivalent unit

TEWI 総合等価温暖化因子
Total Equivalent Warming Impact

TF トロイダル磁場 Toroidal Field

TFDE 三元燃料ディーゼル機関 Tri Fuel Diesel Electric

T&G【配管材料】溝形座 Tongue & Groove Face

TG【図面記号】 フランジシール面（フランジフェイス面）の
形状。溝形 Tongue and Groove
タング座：TG-T ／グループ座：TG-G 。ガスケットの当たり
面が小さく、面圧を大きく取ることができる。気密性が良い
［関連］MF, RJ, RF, FF

TG ターボ発電機 Turbo Generator

TG【会社名】 東京瓦斯㈱ 通称「東京ガス」、「東ガス」
Tokyo Gas Company, Limited

TG-DTA 熱重量 - 示差熱同時分析 Thermogravimetry-
Differential Thermal Analysis

TGE【会社名】 旧：東京ガスエンジニアリング㈱
通称「東ガスエンジ」 Tokyo Gas Engineering Co., Ltd.

TGES【会社名】東京ガスエンジニアリングソリューションズ
㈱ Tokyo Gas Engineering Solutions Corporation

TGIC【化合物】 トリグリシジルイソシアヌレート
Triglycidyl isocyanurate

TGO 熱成長酸化物 Thermally Grown Oxide

TGSCC 粒内型応力腐食割れ Transgranular Stress Corrosion
Cracking

TGTU テールガス処理装置 Tail Gas Treating Unit

THE 高温電気分解 High-temperature electrolysis

THF【化合物】 テトラヒドロフラン Tetrahydrofuran

THK【配管材料】 肉厚 Thickness

THMC THMC 連成シミュレータ（熱・水・応力・化学）
Thermal、Hydro、Mechanics、Chemical

THPS【化合物】テトラキス - ヒドロキシメチル - ホスホニウム
硫酸塩 Tetrakis(hydroxymethyl)phosphonium

THRD （THD）【配管材料】 ねじ Threaded

TI【図面記号】 温度計、温度検出器 Temperature Indicator

TI【会社名】 テキサスインスツルメント Texas Instruments

TIA つくばイノベーションアリーナ Tsukuba Innovation Arena

TIC【図面記号】 温度指示調節計
Temperature Indicating Controller

tif, tiff【図面形式名】 アルダス社（現在は Adobe 社）の画像
ファイル形式 Tagged Image File Format

TIG ティグ溶接 Tungsten Inert Gas（welding）
［関連］ARC, FCAW, MAG, MIG, GMAW, GTAW, SAW, SMAW

TIGAR 国産石炭ガス化技術の 1 つ Twin IHI Gasifier IHI が
開発。二塔式循環流動層ガス化炉

TIIS 産業安全技術協会 Technology Institution of
Industrial Safety 　防爆機器の認証を行なう検定機関

TIN 不規則三角形網、サーフェスモデル

triangulated irregular network
TIS チタン協会規格（日本チタン協会；JTA）
Titanium Society's Industrial Standard
JTA；Japan Titanium Society
TK【契約】 ターンキー（一括請負）契約 Turn-key Contract
TKBS【会社名】 ㈱東京興業貿易商会
Tokyo Kogyo Boyeki Shokai ,LTD.
TL【図面記号】 高さ
TLP 緊張係留プラットフォーム Tension Leg Platform
TLS 地上型 3D レーザースキャナー Terrestrial laser scanner
TLV トランスファーラインバルブ Transfer Line Valve
TLV【会社名】 テイエルブイ㈱ 「トラブル・レス・バルブへの挑戦」が社名の由来
TLV-C 被曝上限界値 Threshold Limit Value Ceiling
絶対に越えてはならない有害物質の濃度
TLVs 閾限度値 Threshold Limit Values
毎日被曝しても健康上影響がない有害物質の濃度
TLV-STEL 短時間被曝限度値
Threshold Limit Value Short Term Exposure Limit
15 分間被曝しても健康上影響がない有害物質の濃度
TLV-TWA 時間荷重平均値被曝限度値
Threshold Limit Value Time Weighted Average
週 40 時間被曝しても健康上影響がない有害物質の濃度
T&M【契約】 タイム・アンド・マテリアル契約 Time and Material Contract サービス・製品の単価を予め決めておき、実際に提供された量と掛けて総コストを算出する契約。UP と同意語
TM 商標 Trademark
TMA 熱機械分析 Thermomechanical Analysis
TMCP 熱加工制御 Thermo-mechanical control process
TMD 同調質量ダンパー Tuned Mass Dampers
TMDS【化合物】 テトラメチルジシロキサン
tetramethyldisiloxane
TMFC 熱式マスフローコントローラー Thermal Mass Flow Controller
TMIAS タングステン・モリブデン工業会規格
Tungsten & Molybdenum Industries Association Standards
JTMIA；Japan Tungsten & Molybdenum Industries Association 略称「タンモリ工業会」
TMOS【化合物】 オルトケイ酸テトラメチル Tetramethyl orthosilicate
TMP ターボ分子ポンプ Turbo Molecular Pump
TMP サーモメカニカルパルプ Thermo-Mechanical Pulp
TMSF テクニカルモジュール副因子 Technical Module SubFactor
TNT【化合物】 火薬（トリニトロトルエン） TriNitroToluene
TOC 全有機炭素 Total Organic Carbon
TOE 石油換算トン tonne of oil equivalent
TOE【配管材料】 片端ねじ Thread One End
TOEFL 英語検定試験 Test Of English as a Foreign Language
TOEIC 国際コミュニケーション英語能力試験
Test of English for International Communication
TOFD 法 超音波探傷法の 1 つ
Time of Flight Diffraction Technique
TOL【化合物】トルエン toluene
TOP【図面記号】 配管の上面 Top Of Pipe ［関連］BOP
TOPIX 東証株価指数 Tokyo Stock Price IndeX トピックス
Topsoe【会社名】 トプソー Haldor Topsoe
デンマークの大手エンジニアリング企業
TOR トア Target of rapamycin
TORC テヘラン製油所（イラン国営石油会社の製油所）
Tehran Oil Refining Co.
torr【単位】 圧力単位 Torricelli トール、トル

= 1mmHg（水銀柱ミリメートル）。イタリアの科学者トリチェリに因む。約 133.322Pa。血圧等でのみ使用制限される ［関連］mmHg
-TP【配管材料】 管 Tube Piping
TP、T.P【図面記号】 東京湾工事基準面。東京湾平均海面
Tokyo peil 日本全国の土地の標高を決める基となる。
［関連］AP, KP, GL
tpa【単位】トン / 年 Tonnes per Annum
TPA【化合物】 テレフタル酸 terephthalic acid PTA, TPA
TPA 第三者アクセス Third Party Access
第三者が、電力会社等の送電線を利用し託送を行うシステム
TPE【化合物】 熱可塑性エラストマー
thermoplastic elastmer
TPD 温度プログラム脱着法 Temperature Programmed Desorption
TPM テクニカルプログラムマネージャー Technical Program Manager
TPM 全員参加の生産保全／総合生産保全
Total Productive Maintenance
TPP 環太平洋戦略経済連携協定
Trans-Pacific strategic economic Partnership agreement
TPS【会社名】 テックプロジェクトサービス㈱ TEC Project Services Corporation
TPSC【会社名】 東芝プラントシステム㈱
Toshiba Plant Systems & Services Corporation
TQ テクニカル・クエリ technical query
TQC 統合的品質管理（全社的品質管理）
Total Quality Control
TQM トータル・クォリティ・マネジメント
Total Quality Management
T-R 低温弾性回復（試験、曲線）Temperature retraction
TR 変色皮膜破壊型（SCC）Tarnish Rupture
TR【図面記号】 ねじ込み形フランジ Threaded Flange
TRAFAM 技術研究組合次世代 3D 積層造形技術総合開発機構 Technology Research Association for Future Additive Manufacturing
TRC タフロボティクス・チャレンジ Tough Robotics Challenge
TRI-EX 中間媒体式気化器 トライ・エックス
3 流体（TRI）をもじった呼称
TRIF 避難施設が機能不全になる頻度 Temporary Refuge Impairment Frequency
TRT （高炉）炉頂圧回収タービン発電設備
Top Pressure Recovery Turbine
TRU 超ウラン元素 Transuranium Element
TS トータルステーション Total Station
TS テーパスリーブ Taper Sleeve
TSA 温度スイング式吸着（精製）装置
Temperature Swing Absorption ［関連］PSA, PTSA
TSA 米国運輸保安局 Transportation Security Administration
TSG タイトサンドガス Tight Sand Gas
TSK【会社名】月島機械㈱ TSUKISHIMA KIKAI CO.,LTD.
TSKJ【会社名】 Technip-Coflexip, Snamprogetti, Halliburton KBR and JGC Corporation
TSO 送電系統運用会社 Transmission System Operator
TSP 時間引き延ばしパルス time stretched pulse
TSS 浮遊固形物 Total Suspended Solid
T.T. 電信為替 Telegrafhic Transfer
TT【図面記号】 温度発信器 Temperature Transmitter
TT 赤外線サーモグラフィ試験 Infrared Thermographic Testing
TTF オランダの取引市場 Title Transfer Facility
TTS TTS（線図、曲線、特性）Time-Temperature– Sensitization

TTP　タンクから燃焼器　Tank to Propeller
TVE【会社名】㈱TVE、旧東亜バルブエンジニアリング㈱ Toa Valve Engineering Inc.
TWI　イギリスの公立溶接研究所　The Welding Institute
txt【図面形式名】テキストファイルの形式
TYP（TP）【配管材料】型　Type

U

U（UNC）【配管材料】ユニファイ並目ねじ Unified Coarse Thread
UAE　アラブ首長国連邦　United Arab Emirates
UAEU　UAE大学　UAE University
UASB　上向流嫌気性汚泥床 Upflow Anaerobic Sludge Blanket
UAV　ドローン Unmanned Aerial Vehicle
UB【配管材料】ユニオン・ボンネット　Union Bonnet
UBC　改質褐炭プロセス Upgraded Brown Coal
UBD　アンダーバランス掘削 Under balanced drilling
UC【配管材料】ユニオンカバー（キャップ）　Union Cover
UCG　石炭地下ガス化　Underground Coal Gasification
UCIL【会社名】ユニオンカーバイドインド社 Union Carbide India Limited
UCN　二重化されたDCS専用ネットワーク Universal Control Network
UD　ユニバーサルデザイン　Universal Design
UDS　ユーザー設計仕様書 User's Design Specification
UDX　まちづくりのデジタルトランスフォーメーション Urban Digital Transformation
UEL　爆発上限界　Upper Explosion Limit　[関連]LEL, UEL
UF【化合物】尿素樹脂　urea resin
UF膜　限外濾過膜　Ultrafiltration membrane [関連]RO膜、NF膜、UF膜、MF膜、MBR
UFR　周波数低下リレー Under Frequency Relay
UG【図面記号】地下　Under Ground　[関連]AG
UGS　地下ガス貯蔵設備 Underground gas storage
UHD　ユーティリティー・ヘッダー・ダイアグラム Uthility Hedder Diagram
Uhde【会社名】ウーデ Uhde GmbH ドイツの大手エンジニアリング企業
UI　ユーザーインターフェース user interface
UDS　ユーザー設計仕様書　User's Design Specification
UK-CAER　ケンタッキー大学応用エネルギー研究センター University of Kentucky Center for Applied Energy Research
UL【規格】アメリカ保険業者安全試験所　Underwriters Laboratories Inc.
ULCC　30万トン以上のタンカー　Ultra Large Crude Carrier
ULS　超低硫黄　Ultra Low Sulfur
UM　超音波厚さ測定　Ultrasonic Thickness Measurement
UMI【会社名】ユニバーサルマテリアルズインキュベーター㈱ Universal Materials Incubator
UN　国際連合　United Nations
UN　ユニファイ　Unified 8 Screw Threads 8 Pitch/In
UNF　ユニファイ細目ネジ　Unified Fine Screw Threads JIS B
UNFCCC　気候変動に関する国際連合枠組条約 United Nations Framework Convention on Climate Change [関連]COP, MOP, FCCC, IPCC
UNI【配管材料】ユニオン　Union　管継手
UNIDO　国際連合工業開発機関 United Nations Industrial Development Organization
UOE（鋼管）U字型にして、O字型にして、エキスパンダーで拡張した鋼管
UOP【会社名】ユニバーサル・オイル・プロダクツ Universal Oil Products

UP【契約】単価契約　Unit-price Contract
UP【化合物】不飽和ポリエステル樹脂 unsaturated polyester resin
UPE【化合物】超高分子量ポリエチレン Ultra High Molecular Weight Poly Ethylene
UPEACE　平和大学　University for Peace
UPS　無停電電源装置　Uninterrupted Power Supply
U-PVC　無可塑硬質ポリ塩化ビニル UnplastiCized Polyvinyl Chloride
URF　アンビリカル、ライザー、フローラインを総称（FPSOの構成設備）Umbilical　Riser Flowline
URL　Uniform Resource Locator
USAS　米国国家規格（現ANSI）United States of America Standards
USASI　米国国家規格協会の旧称 United States of America Standards Institute
USBM　米国鉱山局 United States Bereau of Mine
USC　超々臨界圧ボイラ（火力） Ultra Super Critical Steam Boiler　[関連]SC, AUSC
USCG　アメリカ沿岸警備隊 United States Coast Guard
USDA　米国農務省　United States Department of Agriculture
USEPA　米国環境保護庁　United States Environmental Protection Agency
USGS　アメリカ地質調査所 United States Geological Survey
USP　米国薬局方 The United States Pharmacopeial Convention, Inc
USP　超音波ショットピーニング　Ultrasonic Shot Peening
USSR　ソビエト社会主義共和国連邦 Union of Soviet Socialist Republics [関連]CIS、FSR
UT　超音波探傷検査　Ultra Sonic Test [関連]EC, ET, PT, PW, MPT, MT, MC, MY, RT
UT　世界標準時、世界時。グリニッジ標準時（GMT）を継承 Universal Time　[関連]JST, UTC, TAI, IAT
UTC　協定世界時　Universal Time, Coordinated
UTE【会社名】ウツエバルブ Utsue Valve Co., Ltd.
UTL【図面記号】用役。ユーティリティ　Utility
UT-PA　超音波フェイズドアレイ　Phased Array Ultrasonic Testing
UV　紫外線　Ultra-Violet
UX　ユーザーエクスペリエンス User eXperience

銅管継手・ステンレス管継手等
計装資材品一筋
創業40有余年を迎えた確かな技術

株式会社 富士ロック

〒132-0001 東京都江戸川区新堀 2-27-1
TEL:03-3676-2469 ㈹　FAX:03-3676-7332 ㈹
http://www.fujilok.co.jp

V

V　バルブメーカーのフジキンが社標として使用。バルブ、ビクトリーなどいくつかの意味を兼ねる。

V #【配管材料】　バルカー製ガスケット　Valqua

VAC　完了時費用差異　Variance At Completion

VAM【化合物】　酢酸ビニルモノマー　vinyl acetate monomer

VAM　通気メタン　Ventilation Air Methane

VAS　ビジュアルアナログスケール　Visual Analogue Scale

VASP　平面波基底と PAW 擬ポテンシャルを用いる第一原理計算パッケージ Vienna ab initio simulation package

VAT　付加価値税　Value Added Tax

VAU　ベンダーユニット　Vender Assembled Unit

VAV　VAV 制御 Variable Air Volume

VB　バルブボックス Valve Box

VBA　ビジュアルベーシック・フォー・アプリケーションズ
　　　Visual Basic for Applications

VCCI　ベトナム商工会議所　Vietnam Chamber of Commerce and Industry

VCI　気化性防錆剤 Volatile corrosion inhibitor

VCM【化合物】　塩化ビニルモノマー　vinyl chloride monomer

VCS　政府認証クレジット Verified Carbon Standard

VDT　画像表示装置　Visual Displey Terminal

VDU　減圧蒸留装置 (ユニット) Vacuum Distillation Unit

VE　バリュー・エンジニアリング　Value Engeneering

VER　第三者認証排出削減量 Verified Emission Reduction

VGB　欧州大規模発電事業者技術協会

VGO【化合物】　減圧軽油　Vacuum Gas Oil

VFM　【契約】　金額に見合う価値　Value For Money

VH　バリアブルハンガ Variable Hanger

VHAP　揮発性有毒大気汚染物質　Volatile Hazardous Air Pollutants

VI　目視検査　Visual inspection

VINACOMIN　ベトナム国営石炭・鉱物工業グループ
　　　Vietnam National Coal and Mineral Industries Group

VIP　真空断熱型パイプライン　Vacuum Insulated Pipeline

VIS　粘度　Viscosity

VISTA　BRICs に続く新興国グループ(ベトナム、インドネシア、南アフリカ、タイ、アルゼンチン)
　　　Vietnam、Indnesia、South Africa、Thai、Argentina

VIV　渦励振 Vortex Induced Vibration

VLCC　20 万トン以上のタンカー　Very Large Crude Carrier

VOC　揮発性有機化合物。揮発性炭化水素
　　　volatile organic carbon　［関連］BVOC

VOL【図面記号】　容量　Volume

vol%【単位】　体積パーセント　Volume Percent
　　　ガスなどの濃度を体積の 100 分の 1 の単位で表したもの

VOR　超短波全方向式無線標識 VHF Omnidirectional Radio-beacon

VPN　仮想私設網、仮想専用線　Virtual Private Network

VPP　仮想発電所 Virtual Power Plant

VPS　画像を用いた空間認識技術 Visual Positioning System

vPvB　極めて難分解性、高い生物蓄積性を有する物質　very Persistent and very Bioaccumulative

VR　バーチャルリアリティ（仮想現実）Virtual Reality

VRC【化合物】　減圧残油　Vacuum Reduced Crude

VRC　蒸気再圧縮塔 Vapor Recompression Column

VRE　変動性再生可能エネルギー Variability Re-Energy

VRI　気化性防錆剤 Vapor Rust Inhibitor

VRML　仮想現実モデリング言語
　　　Virtual Reality Modeling Language

VRT　可変抵抗トリム Variable Resistance Trim

VSLAM　カメラを用いた自己位置推定と地図の同時作成
　　　Visual simultaneous localization and mappin

VT　制御電源用変圧器 Voltage Transformer

VT　目視試験　Visual testing

VTMS【化合物】ビニルトリメトキシシラン
　　　vinyltrimethoxysilane

VUCA　変動性・不確実性・複雑性・曖昧性 Volatility・Uncertainty・Complexity・Ambiguity

VUE【拡張子】Vue Scene Format

VVER　ロシア型加圧水型原子炉　Vodo-Vodyanoi Energetichesky Reaktor

VVVF　可変電圧可変周波数制御。インバータ
　　　Variable Voltage Variable Frequency

VWV　VWV 制御 Variable Water Volume

W

W　ウイット並目ネジ　Whitworth Coarse Screw Threads

-W【配管材料】　溶接製　Welding Product

W/【配管材料】　…付　With

WAG　水とガスの交互圧入法 Alternating Gas

WAS　全国土木機器工業会規格
　　　The Japan Woodworking Machinery Association Standard

WB【配管材料】　溶接型ボンネット　Welded Bonnnet

WBCSD　持続可能な開発のための世界経済人会議 World Business Council For Sustainable Development

WBE【配管材料】　両端溶接　Weld Both End

WBGT　湿球黒球温度 Wet Bulb Globe Temperature

WBS　作業分解図　Work Breakdown Structure

WC　トイレ　Water Closet

W-CDMA　広域　符号分割多元接続
　　　Wideband　Code Division Multiple Access

WCNDT　非破壊検査国際会議
　　　World Conference on Nondestructive Testing

WCS【図面記号】　冷却水　Cooling Water［関連］WCS, CW

WCW　ウェスタン・カナダ水団体　Western Canada Water

WD【図面記号】　飲料水　Drink Water、Potable Water
　　　［関連］PW

WEEE　EU の廃電気・電子製品（WEEE）に関する指令
　　　Waste Electrical and Electronic Equipment （Directive）

WE-NET　水素利用国際クリーンエネルギーシステム技術
　　　World Energy NETwork

WEO　IEA の発行する年鑑 World Energy Outlook

WES　日本溶接協会規格
　　　Japan Welding Engineering Society Standard

WF【図面記号】　消火水　Fir Service Water　［関連］FW

WFP　国際連合世界食糧計画
　　　United Nations World Food Programme

WFP　水道鋼管協会　Water Steel Pipe Association

WFR【配管材料】　挟み込み型　Wafer

WG　ワーキング・グループ　Working Group

WGC　世界ガス会議 World Gas Conference

WH【会社名】　ウエスチングハウス　Westinghouse
　　　2006 年に東芝が買収

WHO　世界保健機関　World Health Organization

WHP　坑口用プラットフォーム　Wellhead Platform

WHSV　重量空間速度　Weight Hourly Space Velocity　時間当りの重量速度 (触媒重量基準)

WI【図面記号】　工業用水　Industrial Water［関連］WI, IW

WiFi　ワイファイ　Wireless Fidelity

WIPO　世界知的所有権機関
　　　World Intellectual Property Organization

WITS　全世界事件追跡システム World wide Incidents Tracking System

WJP　ウォータジェットピーニング　Water Jet Peening

WMO　世界気象機関　World Meteorological Organization

WMS　倉庫管理システム Warehouse Management System

WN【配管材料】　突合せ溶接　Welding Neck　フランジ

WOG　汎用流体 Water, Oil, Gas

WP【図面記号】　純水　Pure Water

WP　ワークパッケージ Work Package

WPCI　世界港湾気候イニシアティブ　World Ports Climate Initiative

WPI　水貧困指数　Water Poverty Index

WPQ　溶接施工者の資格条件 Welder（Welding）operator Performance Qualification

WPS　溶接施工要領書 Welding Procedure Specification

WPTCR　パイプ全体の引張クリープ破壊試験 Whole Pipe Tensile Creep Rupture test

WQT　溶接工資格試験 Welding Qualification Testing

WR【図面記号】　上水　Reglar Water、City Water

WRC【規格】　Welding Research Council

WRS　ワールドロボットサミット World Robot Summit

WSE【図面記号】　海水　SeaWater　［関連］WSE, SW

WSP　日本水道鋼管協会規格 Japan Water Steel Pipe Association Standard

WSR【化合物】　直留ガソリン Whole-range Straight Run Naphtha

WSS　週末起動停止　Weekly Start & Stop

WSSD　持続可能な開発に関する世界首脳会議 World Summit on Sustainable Development

Wt【図面記号】　重量値　Weight

WTI(原油)　米国テキサス州西部産の原油 West Texas Intermediate　原油価格の代表的な指標。北海ブレント、ドバイが世界の３大指標原油

WTO　世界貿易機関　World Trade Organization

WTT　生産井戸から船のタンク　Well to Tank

WTW　生産井戸から自動車まで Well to Wheel

WW【図面記号】　廃水　Wase Water

WWF　世界自然保護基金 World Wide Fund for Nature

WWW　ワールドワイドウェブ　World Wide Web

X

XANES　X線吸収端近傍構造 X-ray absorption near edge structure

XAS　X線吸収分光法 X-ray absorption spectroscopy

X-FEM　拡張有限要素法 eXtended Finite Element Mdhod

xls（x）【図面形式名】MicroSoft 社の表計算ソフト　Excel

XML　情報記述言語 eXtensible Markup Language

XPS　X線光電子分光 X-ray Photoelectron Spectroscopy

XR　VR、AR、MR、SR などの総称、クロスリアリティ。X Reality

X-RAY　X 線透過試験　X-ray Radiography

XRD　X 線回折 X-Ray Diffraction

XRF　蛍光 X 線元素分析法 X-ray Fluorescence Analysis

XS【配管材料】　エキストラ ストロング　Extra Strong

XXS【配管材料】　ダブル音引エキストラ、ストロング Double Extra Strong

Y

YGC【会社名】イエメン国営ガス会社 Yemen Gas Company

YKV【会社名】ワイケイブイ Yokogawa、Kitz、Flowserve Valtek の頭文字 横河電機、KITZ、FLOWSERVE VALTEK の合弁会社

YONDEN【会社名】　四国電力㈱ 通称「四電」 Shikoku Electric Power Company, Incorporated

yr【単位】　年　year

YRS【会社名】　㈱淀川螺旋管製作所 Yodogawa Rasenkan Seisakusyo

YSZ　イットリア部分安定化ジルコニア Yttria Stabilized Zirconia

Z

ZEB　ネット・ゼロ・エネルギー・ビル Zero Energy Building

ZEH　ネット・ゼロ・エネルギー・ハウス Zero Energy House

zip【図面形式名】　圧縮ファイル形式の一種

ZIP　アメリカ合衆国の郵便番号 Zone Improvement Program（Plan）

ZLD　液体放流ゼロ、無排水 Zero Liquid Discharge

数字・記号

24/7　24 hours a day, 7 days a week

3D-DXF【図面形式名】　3D 面群を定義するファイル書式 3D-Drawing Exchange Format

#【配管材料】　ポンド（レーティング）　Pound（Rating） フランジ、バルブ

$$$【図面形式名】　AutoCAD のバックアップ用図面ファイルの拡張子　ダラースリー

△PA【図面記号】　差圧警報計 Differential Pressure Annunciator(Alarm) ［関連］PDA, dPA

△PI【図面記号】　差圧指示計　Differential Pressure Indicator ［関連］PDI, dPI

△PIA【図面記号】　差圧指示警報計 Differential Pressure Indicating Annunciator（Alarm） ［関連］PDIA, dPIA

γ-RAY　γ 線ラジオグラフィ　Gamma Radiography

圧力設備の破損モードと応力

佐藤拓哉 著　A5判200頁　定価：3,300円（税込）

圧力設備に係る技術者が知っておくべき圧力設備とその破損の種類について、日揮㈱のチーフエンジニア、佐藤拓哉氏が貴重な現場経験から得られた事例とともに解説。

日本工業出版㈱

フリーコール　0120-974-250　https://www.nikko-pb.co.jp/

プラントレイアウトと配管設計

著者：大木秀之（千代田化工建設㈱）
紙透辰男 （日揮㈱）
西野悠司 （(一社)配管技術研究協会）
湯原耕造 （㈱東芝 エネルギーシステムソリューション社）

B5判　320ページ　　定価3,850円（本体3,500円+税10%）

FAX　03-3944-0389

フリーコール　0120-974-250

　機器レイアウト（プロットプラン）や配管レイアウトは、プラント計画において最も重要な要素です。その習得にかかる年月も、広範で多岐にわたる知識と経験に負うところが多いため、少なくとも10年を要すると言われています。本書では、石油化学プラント系と発電プラント系の配管レイアウトを知り尽くした著者たちが、その経験から得たノウハウを詳細に述べています。千差万別のプラントといえども、特定の条件下では共通する部分も多く、模範にできるレイアウトは多くのプラントで参考になります。石油化学、ガス、発電だけでなく、薬品、食料、鉄鋼など、あらゆるプラントにも応用の利く内容となっていますので、すべてのレイアウト設計者の養成期間の短縮に貢献する内容です。

目　次

第1章　配管設計という仕事
1. プラントの配管設計の役割
2. プラント配管設計の主な業務
3. 配管設計遂行管理
4. 配管材料仕様書と配管材料調達仕様書の作成
5. プロットプラン／配管レイアウト／3Dモデル作成
6. メカニカル（強度解析、熱応力）
7. IT活用（3D CAD管理と配管材料コントロール）
8. プラントの配管設計とは

第2章　P&IDの読み方
1. 配管設計とP&ID
2. P&IDは、配管設計の上流情報
3. P&IDの読み方
4. P&ID上に表示される配管レイアウトに関する要求事項
5. 詳細の別図表示
6. P&ID中の注意事項（Note）の表示
7. P&IDの読み方の例
8. 配管レイアウトからP&IDへ
9. P&IDの内容を理解するために
10. P&IDのまとめ—配管設計が高精度のP&IDを作る

第3章　石油精製・石油化学・ガスプラントのプロットプラン
1. プロットプランの作成
2. プロットプランの基本計画
3. 機器の配置 基本的な考え
4. 保安距離による制限
5. 建設およびケーブル等のルーティング上から考慮する事項
6. 建設およびメンテナンス性から考慮する事項
7. 運転および操作性から考慮する事項
8. 地下埋設物計画
9. 道路と舗装計画（Paving）
10. 詳細検討
12. 装置の特徴を知る事

第4章　石油精製・石油化学・ガス処理プラントの配管レイアウト
1. 配管レイアウト作成
2. 配管レイアウトの基本原則
3. 配管ルート計画で考慮すべき共通事項
4. 部分詳細配管の共通事項
5. 配管アレンジメント計画
6. 安全弁配管
7. 計器取付配管
8. 機器まわりの配管レイアウト
9. 低温サービスの配管設計

第5章　石油精製・石油化学・ガス処理プラントの配管サポート
1. 配管サポートは、プラントの重要な要素
2. サポートの基本概念
3. サポートの目的と機能
4. 配管形状
5. 配管支持間隔（Support Span）
6. 拡大管の支持
7. 配管被覆（Insulation）の有無
8. サポート選定の基本的な考え方
9. 配管構成（Part）
10. サポート設置位置（LOCATION）
11. 各機器廻りの配管サポート
12. 配管サポート材質（Material）
13. サポート選定の基本概念
14. 配管サポートタイプ（Type）
15. 配管サポート部材展開（Part Material）
16. 特殊サポート

第6章　火力・原子力発電プラントのプロットプラン
1. 配管設計における建屋・機器配置
2. 配置計画
3. タービン建屋内配置計画

第7章　火力・原子力発電プラントの配管レイアウト
1. 火力・原子力発電プラントのサブシステムレイアウト
2. 配管設計について
3. 配管ルート計画
4. タービン系配管ルート計画の基本事項

第8章　火力・原子力発電プラントの配管サポート
1. 配管における支持装置
2. 配管系支持ポイント
3. サポート設計時の配管荷重の組合せ
4. 配管支持装置種類
5. 配管支持装置に使用される材料
6. 配管支持装置選定・設計時の留意事項

第9章　配管材料基準と材料選定
1. 配管材料基準の概要
2. バルク材と特殊材
3. 配管材料選定種類
4. 配管サービスクラスインデックスの作成
5. ブランチテーブル
6. 配管材料部品の仕様の決め方
7. 配管材料選定と特殊要求事項
8. 配管材料技術の重要性

第10章　配管耐圧部の強度設計
1. 配管の耐圧コンポーネント
2. 内圧による力の発生する箇所と大きさ
3. 面積補償法という耐圧強度評価
4. 基準、codeによる管の必要厚さの式
5. 球、ベンド、レジューサの強度評価
6. 内圧を負担する壁の一部がない管継手
7. スケジュール番号は管の耐圧クラス
8. バルブ、フランジのP・Tレイティング

第11章　配管フレキシビリティと熱膨張応力
1. 配管設計における配管フレキシビリティ
2. 配管設計コード制定の背景
3. 配管系の特徴
4. 強度理論
5. 配管系に作用する荷重
6. 配管系応力解析
7. リボ一設置位置の決定方法
8. フレキシビリティ係数と応力係数
9. 発生応力と応力評価
10. 配管支持装置

日本工業出版㈱　販売課　〒113-8610東京都文京区本駒込6-3-26 TEL0120-974-250/FAX03-3944-0389
sale@nikko-pb.co.jp　https://www.nikko-pb.co.jp/

申込書
―切り取らずにこのままFAXしてください―
FAX03-3944-0389

ご氏名※				
ご住所※	〒			勤務先□　自宅□
勤務先		ご所属		
ＴＥＬ※		ＦＡＸ		
E-Mail	@			
申込部数	定価3,850円（本体3,500円＋税10%）×		部＝	円

※印は必須事項です。

明日の技術に貢献する日工の技術雑誌

◆ 配管技術 ……………………………………… プラントエンジニアのための専門誌
◆ ターボ機械（ターボ機械協会誌）…ポンプ・送風機・圧縮機・タービン・回転機械等の専門誌
◆ 油空圧技術 ……………………………………………… 流体応用工学の専門誌
◆ 建設機械 ………………………………………… 建設機械と機械施工の専門誌
◆ 計測技術 …………………………………… やさしい計測システムの専門誌
◆ 建築設備と配管工事 ……………………………… 建築設備の設計・施工専門誌
◆ 月刊自動認識 ………………………… ユビキタス時代のAUTO-IDマガジン
◆ 超音波テクノ ……………………………………………… 超音波の総合技術誌
◆ 住まいとでんき ……………………………… アメニティライフを実現する
◆ 画像ラボ ………………………………………… やさしい画像処理技術の情報誌
◆ 光アライアンス …………………… 光技術の融合と活用のための情報ガイドブック
◆ クリーンテクノロジー …… クリーン環境と洗浄化技術の研究・設計から維持管理まで
◆ クリーンエネルギー ……………… 環境と産業・経済の共生を追求するテクノロジー
◆ 検査技術 …………………………… 試験・検査・評価・診断・寿命予測の専門誌
◆ 環境浄化技術 ……………………………………… 無害化技術を推進する専門誌
◆ 福祉介護テクノプラス ………………… つくる・えらぶ・つかうひとのため情報誌
◆ プラスチックス ………………………… プラスチック産業の実務に役立つ技術情報誌
◆ 機械と工具 ………………………………………………… 生産加工技術を支える
◆ 流通ネットワーキング ……………… メーカー・卸・小売を結ぶ流通情報総合誌

〇年間購読予約受付中　03（3944）8001（販売直通）

● 本書の複製権・上映権・譲渡権・翻訳権・公衆送信権（送信可能化権を含む）は日本工業出版株式会社が保有します。
● JCOPY ＜(社)出版者著作権管理機構 委託出版物＞
本誌の無断複写は著作権法上での例外を除き禁じられています。複写される場合は、そのつど事前に、(社)出版者著作権管理機構（電話 03-3513-6969、FAX 03-3513-6979、e-mail：info@jcopy.or.jp）の許諾を得てください。

乱丁、落丁本は、ご面倒ですが小社までご送付ください。送料小社負担にてお取替えいたします。

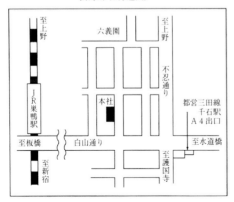

〈東京本社付近図〉

日工の知っておきたい小冊子シリーズ
プラント関連略語集2023

発　行　日　2023年7月1日
編　　　集　「配管技術」編集委員会
発　行　人　小林大作
発　行　所　日本工業出版㈱
本　　　社　〒113-8610東京都文京区本駒込6-3-26
　　　　　　TEL 03（3944）1181（代）　FAX 03（3944）6826
　　　　　　https://www.nikko-pb.co.jp/
　　　　　　e-mail：info@nikko-pb.co.jp
大阪営業所　TEL 06（6202）8218　FAX 06（6202）8287
販売専用　　TEL 03（3944）8001　FAX 03（3944）0389
振　　　替　00110-6-14874

ISBN978-4-8190-3508-8　　C3050　　¥1000E　　定価：1,100円（本体1,000円＋税10%）